LA
FUNAMBULE

Maquette de la couverture : Lévis Martin
Illustration : émail de Mariette Cheney

Révision : Dominique Johnson et Marguerite Lessard

© Éditions du Septentrion
1300, av. Maguire, Sillery, Qué. G1T 2R8.

Diffusion Dimedia
539, boul. Lebeau, Ville Saint-Laurent H4N 1S2.

Dépôt légal : 4e trimestre 1989
Bibliothèque nationale du Québec.

ISBN 2-921114-29-1

FRANÇOIS BERNIER

LA FUNAMBULE

septentrion

À Suzanne, Claudine, Émilie et Sarah.

I

Dominique Boily regarde descendre et virevolter les milliers de petits cristaux de neige passant en trombe devant sa fenêtre. Est-elle joyeuse, ennuyée ? Personne n'aurait pu le dire.

Poussés par un vent du nord-est, ils laissent présager la tempête que le météorologiste des informations télévisées de dix-huit heures a prédite.

La jeune femme, hypnotisée, voit la neige s'écraser sur la vitre à une vitesse s'accroissant sans cesse, y laissant une pellicule humide que le vent essuie aussitôt. Devant elle, en contrebas, les quelques voitures immobiles dans la cour changent rapidement d'aspect.

Plus loin, au-delà du parc de l'immense habitation où elle réside, s'anime une silhouette imprécise, voûtée par le froid, pressée, pense Dominique, de retrouver la douceur d'une famille, la chaleur bienfaisante d'un foyer.

Et tout ça n'est encore qu'un début. Bientôt le jardin, la rue, la ville ressembleraient à un immense champ uniformément blanc. On espérait pourtant que le printemps se décide à s'installer.

Dominique songe subitement à Jean. Où peut-il bien être en ce moment ? En sécurité, espère-t-elle, loin de tout danger ? Car d'ici peu, toute circulation deviendra impossible, sauf peut-être sur certaines grandes artères du centre-ville, et, encore, la progression y demeurera très difficile.

Bien qu'elle soit au Québec depuis quinze ans, Dominique ne connaît presque rien de la tempête. Elle n'a jamais senti le souffle du vent sur ses joues. Elle a toujours dû se contenter de regarder la chose, de l'entendre comme elle le fait ce soir, de sa fenêtre.

Mais, il y a quand même quelque chose de magique dans cette blancheur désespérante, quelque chose qui, cette fois, atteint Dominique. Bien sûr, elle ne peut la nommer, ni même la préciser ; c'est comme une étincelle enchantée dont elle ressent la tendre brûlure en elle, la faisant se sentir petite, faible et dépendante de la nature et de toutes ses manifestations.

*
*   *

Dominique laisse retomber devant elle le rideau de mauvais coton vert olive décoloré par la lumière du soleil. Il recouvre une des dizaines de fenêtres de la grande maison. Elle laisse s'écouler quelques secondes puis, incapable de se retenir plus longtemps, revient à sa contemplation. Le visage de la jeune femme, aux yeux étrangement fixes, n'exprime plus maintenant ni agacement ni joie, mais plutôt une espèce de mélancolie... Un sentiment profond et viscéral auquel elle s'abandonne malgré elle lors de périodes, comme celles-ci, où son esprit s'égare. Il lui semble alors qu'elle peut sortir d'elle-même et se regarder, ainsi que son passé, comme on regarde un film à la télé en s'apitoyant sur le sort de l'héroïne.

Depuis plusieurs minutes, quelque chose a changé ; elle n'est plus à Québec, rue St-Marc, mais très loin de là, dans le temps et l'espace, en Suisse, où elle a passé son enfance. Elle a huit ans. Avec un regard vide, elle revit les sauts du temps de sa jeunesse. Que de plaisir et de jubilation intenses pouvaient faire naître en elle les bourrasques d'alors, pourtant bien négligeables comparées à celles qui, aujourd'hui, font ployer les branches des érables du jardin !

Fatiguée, Dominique s'assoit sur la berceuse juste derrière elle. Une porte claque lourdement, mais la jeune femme ne l'entend pas ; devant elle les images maudites du passé défilent toujours.

II

La petite fille aux grands yeux bruns qu'est Dominique sort en courant de la maison où elle habite avec ses parents, son frère et sa sœur, rue Cher à Genève. Elle s'est habillée chaudement : pantalon de velours côtelé, manteau de laine, bottes fourrées, foulard et chapeau, car ce matin-là, ô grande joie, la neige recouvre le sol. On est en décembre, peu avant les Fêtes.

Elle se dirige rapidement dans le jardin, derrière la maison, dans l'espoir d'y rencontrer ses amis, pour la plupart des enfants fréquentant le même lycée qu'elle, tout près de là. Mais il n'y a personne. La petite ramasse un peu de neige et en fait une boule qu'elle suce en scrutant les environs.

— Tant pis, dit-elle enfin, à haute voix, ils viendront plus tard.

Au milieu de la cour se dresse un monticule d'environ un mètre de hauteur. Elle gravit la pente à quatre pattes, s'imaginant dans un champ de glaces voisin du pôle Nord et en arrivant à son sommet, s'efforce d'haleter.

— Dominique ? Dominique, où es-tu ?

Elle entend la voix de Christian, son frère aîné âgé de dix ans. Leurs rapports sont en général tendus, les deux enfants se disputant la plupart du temps comme chien et chat.

Rapidement Christian vient la rejoindre. Il se moque des joues rouges de sa sœur et sourit d'ébahissement devant ce tapis de neige.

Durant quelques secondes, les deux enfants regardent autour d'eux ; l'environnement baigne dans un silence d'église. Tout leur semble différent ; la neige modifie chaque forme, fait ressortir des ombrages inconnus et inquiétants dans les arbres au fond de la cour, donne du relief à une mauvaise clôture de bois.

— Tout est gris, dit enfin Dominique. J'ai l'impression de regarder à travers notre télé.

Comme il le fait souvent, son frère reste muet. Il s'est entraîné à ne pas entendre ce que dit cette petite sotte, sauf bien sûr, devant ses parents. Il considère sa sœur comme une idiote parce qu'elle est moins intelligente que lui, réussit moins bien à l'école et pour quantité d'autres raisons. Le comportement de ses parents renforce d'ailleurs ce sentiment : c'est de lui qu'ils sont fiers, au grand détriment de Dominique.

Christian regarde sa jeune sœur, méprisant.

— Alors on glisse ?

Quand le sol était enneigé, les enfants cherchaient dans les rues et les cours du voisinage des morceaux de carton ou de plastique sur lesquels ils aimaient dévaler les pentes. À cette fin, sans se consulter préalablement, Dominique et Christian font le tour du pâté de maisons où ils résident. Et, ce jour-là, leur recherche fut fructueuse.

*
*   *

À quelques pas de la jeune femme, plusieurs personnes se lèvent dans un surprenant silence, sortent de la pièce, reviennent, reprennent leur activité, leur oisiveté. Quelqu'un allume le poste de télévision. Pierre marche à la fenêtre puis s'assoit près de Dominique. Il la regarde en souriant bien qu'elle ne se soucie pas de sa présence. Elle s'est depuis longtemps conditionnée à être inattentive à son environnement.

Justement à l'instant précis où Pierre lui sourit, laissant découvrir des dents jaunies par le tabac, Dominique n'est plus dans la grande maison que physiquement et dans un état de concentration tel qu'une piqûre soudaine ne l'aurait pas fait broncher. Son esprit a refranchi l'océan. Elle avait quitté l'Europe alors qu'elle venait tout juste d'avoir quinze ans ; ses parents avaient décidé de rentrer au pays. C'est donc avec la Suisse qu'elle a le plus d'affinités. C'est son vrai pays et c'est de là qu'elle tire les souvenirs de son enfance. Ces souvenirs sont d'ailleurs vécus d'une façon impromptue. Ils s'imposent à elle, comme ça, à l'improviste, avec une netteté déconcertante. Dominique voit ses souvenirs plus qu'elle ne se les remémore, comme si une bobine de film se déroulait dans son cerveau. Elle ne les commande pas. Si elle ferme les yeux, si elle s'efforce de les chasser de son esprit torturé, ceux-ci demeurent toujours présents. Ils sont toujours à la fois nets et confus ; ils se modifient avec le temps mais présentent constamment la même cruelle précision. En désespoir de cause, Dominique avait dû s'habituer à vivre avec ceux-ci.

*

* *

Dominique et Christian tombent en arrêt dans le jardin arrière des Denoncourt, leur troisième voisin. Quelques jours plus tard, ces derniers doivent déménager dans une ville lointaine à cause d'une promotion qu'a eue monsieur Denoncourt, un Français d'origine, marié à une Suissesse. Les enfants ont entendu plusieurs fois leurs parents parler de ce départ, mais les

Denoncourt n'ayant plus d'enfants à la maison, cela ne touche pas Christian et sa jeune sœur.

Il y a là, adossé à la maison recouverte de papier-brique, un formidable amoncellement de caisses de bois, de paquets de journaux ficelés et de boîtes de carton, objet principal de leur recherche. On peut voir également un tas d'objets sans doute hors d'usage : un vieil appareil radio, une bouilloire toute cabossée, plusieurs paires de vieilles bottes, une scie rouillée, une lampe cassée, un rouleau de corde de jute. Un sac partiellement déchiré laissant entrevoir quantité de vieux sacs à main émerveille Dominique ; elle se promet bien d'en rapporter quelques-uns chez elle.

— Dominique, viens voir ! lance Christian d'une voix excitée.

Une faille s'ouvre à la base du tas de déchets entre deux grosses caisses de magazines des années antérieures. Christian s'y glisse. Après quelques secondes, un son étouffé parvient aux oreilles de la fillette.

— Viens Dominique. Viens me rejoindre.

Dominique, grâce à sa petite taille, s'infiltre elle aussi entre les caisses. Son besoin d'exploration n'est pas déçu. Au centre du monticule s'est bizarrement formé un espace libre, un petit cagibi d'un mètre carré environ. Le plafond de cette petite pièce est assez élevé pour permettre de demeurer à genoux sur le sol gelé.

— C'est beau, dit Dominique, béatement.

Ils continuent l'examen de leur découverte avec des yeux remplis d'étonnement. C'est une vraie maison... enfin presque. En tout cas, c'est bien plus vrai et bien plus solide que les maisons qu'ils font souvent l'été sur la véranda avec de vieux draps qui s'effondrent au premier souffle de vent et qui sont trop exiguës pour qu'ils puissent y jouer à l'aise.

Dominique dégage d'un vieux sac de toile la tête d'une poupée noire. Ses cheveux qui étaient autrefois crépus ne sont maintenant qu'une masse informe. Elle ne découvre nulle trace du corps. Le jouet a sans doute appartenu à une des filles des Denoncourt ; la plus jeune étant mariée depuis deux ans, cela faisait donc belle lurette que cette tête devait traîner dans le grenier de leur vieille résidence.

— Cette maison doit rester un secret entre nous, dit Christian. Quand nous voudrons jouer, ou lorsque papa et maman te disputeront, tu pourras te réfugier ici. Ils ne pourront jamais te trouver. Papa est bien trop gros pour passer par ce petit tunnel. Je ne leur dirai jamais où tu es.

— Si, tu leur diras, parce que tu aimes ça quand ils me corrigent.

— Mais non, je ne leur dirai pas, sinon papa viendra détruire notre maison.

Pendant quelques secondes Dominique soupèse l'argument.

— C'est d'accord, finit-elle par dire. Je te crois. Mais je veux que Rachel puisse venir. On lui fera promettre de ne révéler le secret à personne.

— Elle est bien trop bavarde, ricane Christian. Elle n'est pas capable de garder un secret.

Rachel est leur cadette. Elle a eu six ans le mois précédent. Les images que Dominique se voit projeter de sa frangine sont en général claires, comme la majorité de ses autres visions, sauf que la figure de la petite reste constamment dans un ombrage translucide lui faisant perdre la délicatesse de ses traits. Elle distingue bien les mèches brunes tombant sur un front haut, le contour du visage, mais ne peut mettre de forme sur les yeux, la bouche ou le nez.

La petite Dominique considère son frère comme un être tout à fait détestable. Sa figure se crispe, faisant place à un rictus de rage incontrôlable. Elle explose dans l'étroit réduit où ils sont assis. Sa voix est amplifiée par les faibles dimensions du lieu.

— Si Rachel ne peut venir, je ne viendrai pas moi non plus et je dirai à papa que tu te caches ici pour mettre les mains dans tes culottes.

— Il ne te croira même pas, réplique Christian.

Il n'est pas aussi sûr de lui qu'il le laisse paraître.

— Mais c'est d'accord quand même, tu l'amèneras si tu le veux... Ne te fâche pas.

De temps à autre, Dominique fait des crises de colère contre son frère ou sa sœur, mais Christian est habituellement sa cible préférée. Dans ces moments, il a alors simplement peur de Dominique. Et, pour un garçon de dix ans, qu'y a-t-il de plus ridicule, de plus humiliant que de craindre une fille de huit ans ? Le pire de tout, c'est au lycée. Il fréquente le même que Dominique. Il a peu d'amis, se tient la plupart du temps seul, occupé à lire ou à rêvasser à Dieu sait quoi. Les autres enfants le trouvent trop suffisant pour se lier d'amitié avec lui. Il a toujours l'impression qu'on va lui crier : « Peu-reux, peu-reux ». Il en vient presque à croire que cette crainte ressentie jusque dans ses tripes est inscrite en gros caractères sur son front. Si sa sœur avait piqué une de ses colères devant ses camarades de classe, il se serait sauvé pour ne plus jamais y revenir. Mais, Dieu merci, Dominique avait toujours gardé son calme, non pas par bonne volonté, mais à cause de la sévérité des maîtres. Déjà on l'avait à l'œil à cause de ses mauvaises notes...

En fait, Christian n'est courageux que devant son père. Il s'y sent obligé, conscient des espoirs que ce dernier met en lui. Les regards différents que porte Philippe Boily sur son fils et sur ses filles sont fort éloquents... Christian ne veut surtout pas décevoir son père et pour cela il doit surpasser ses sœurs en tout, étudier plus que Dominique, ce qui, du reste, n'est pas difficile, réussir tout ce qu'il entreprend, être fonceur. Ainsi, un jour, il prendrait la relève du commerce établi par son père depuis des années, à force de sacrifices et de détermination.

Christian imagine ses parents beaucoup plus fortunés qu'ils ne le sont en réalité. En fait, on peut qualifier la quincaillerie familiale d'affaire prospère, sans plus. Pourtant, les Boily passent auprès de leurs voisins, de leurs connaissances et de leur fils pour une famille plus qu'à l'aise. Et c'est lui, Christian, qui serait plus tard à la tête de cette richesse. Il s'imagine déjà puissant, riche, important... Et Dominique, pauvre, dépendante. Ah! ce qu'il lui en fera voir.

*
*   *

La petite cachette de Christian et de Dominique est peut-être belle et solide, mais il y fait néanmoins très froid. L'air humide emprisonné dans le réduit ne peut se réchauffer. Dominique est la première à comprendre qu'elle se doit de bouger si elle ne veut pas être complètement gelée.

— Je vais aller porter des sacoches chez nous, dit-elle à son frère.

La petite sort sans attendre de réponse et fait ce qu'elle a décidé, chargeant le plus qu'elle le peut ses petits bras de toutes sortes de sacs. Au moment de gravir les marches conduisant à la porte principale de la maison, elle réalise subitement que sa mère ne doit surtout pas la voir ainsi car, soupçonneuse comme elle est, elle l'aurait alors sûrement interrogée sur la provenance de ce butin. À contrecœur, elle rapporte ces précieuses trouvailles à sa cachette, en se promettant bien cependant, d'en passer au moins un sous le nez de sa mère.

— Dominique! Attends-moi!

Rachel débouche à l'angle de la maison.

Dominique, la grande, aperçoit la petite à la voix si perçante, silhouette sans visage, s'approcher d'elle, comme au cinéma... Rachel. Si fragile, si naïve, telle une marionnette docile entre les mains du manipulateur.

Dominique montre ses sacs à sa cadette.

— Suis-moi, lui dit-elle, il y en a beaucoup d'autres.

Dominique guide sa sœur jusqu'au tas de carton et de bois dont la forme ressemble à celle d'un igloo.

— Christian ! appelle Dominique. Christian !

Personne ne répond.

Une neige légère, aérienne, tombe maintenant avec une lenteur presque irréelle sur Genève. Les toits, les escaliers avoisinants, les arbres aux branches nues se teintent de blanc. Le ciel est lourd et triste. Les entrelacs de la galerie des Denoncourt dissimulent leur beau dessin. Aucun souffle de vent n'agite les rameaux des grands ormes sur le terrain des Annenkov, voisins des Denoncourt, descendants d'immigrés soviétiques.

— Eh bien ! tant pis, dit Dominique, on n'a pas besoin de lui.

Puis, elle continue à l'adresse de sa sœur.

— Allez, entrons !

Dès le premier coup d'œil, Rachel est enchantée. Elle possède dans sa petite bibliothèque un livre illustrant un vrai igloo assorti de la bizarre histoire d'un ours polaire et d'un petit inuit nommé Ayatook. L'igloo qui se dresse devant elle lui paraît assez ressemblant hormis les étranges chapeaux qui le coiffent. Dominique lui indique ce qu'elle appelle le passage secret permettant d'accéder à l'intérieur et, en lui posant une main dans le dos sans brusquerie, aide la petite à entrer.

Si Rachel fut impressionnée par l'aspect extérieur de l'igloo, l'intérieur, plein de coins ombragés, sales, terreux, lui inspire un dédain tel qu'après deux minutes seulement, elle veut sortir.

— Dis Dominique, est-ce qu'on va dehors maintenant? Allons glisser, ce sera bien plus amusant.

Depuis qu'elles ont pénétré dans l'igloo, Dominique dévisage sa sœur avec une insistance étrange. Ses yeux brillent au fond de leurs orbites. Elle se surprend elle-même et paralyse de crainte la petite Rachel par sa réponse cinglante.

— Il n'en est pas question! Tu vas rester ici... Nous allons faire un petit feu pour nous réchauffer.

Dominique se déplace doucement de façon à avoir le dos à l'entrée. Rachel ne pourra fuir. En même temps, elle se rapproche d'une pile de vieux Paris-Match restés au sec, dans une caisse éventrée. Elle tire de toutes ses forces sur les magazines, en libère quelques-uns qu'elle dépose ensuite sur le sol.

— Je veux sortir. Laisse-moi passer, glapit Rachel d'une voix plaignarde.

Ses yeux mouillés de larmes paraissent agrandis.

— Non, hurle Dominique. Tais-toi. Je ne veux plus rien entendre. Au contraire, tu vas m'écouter. Ouvre bien grandes tes oreilles. Il faut que j'aille à la maison... Je ne veux pas que tu quittes l'igloo; tu as bien compris? Je l'espère pour toi. Sinon, je vais te flanquer une volée.

Elle ramasse la tête de poupée trouvée plus tôt et la jette sur les genoux de sa sœur.

— Tiens, joue avec cela en attendant.

Rachel a peur. Très peur. Elle voudrait prévenir sa mère du mauvais comportement de sa sœur. Mais cette menace... Elle connaît bien Dominique. C'est sûr qu'elle se fâchera...

Les larmes refoulées de la petite se mettent à couler dès que Dominique quitte le réduit.

Dominique court chez elle de toutes les forces de ses jambes maigrichonnes pour en revenir vitement porteuse d'une petite boîte d'allumettes de bois. Elle savait bien où s'en procurer ; son père en laisse toujours quelques-unes sur le petit guéridon de l'entrée. Elle peut même entrer et ressortir de la maison sans attirer l'attention de sa mère, occupée à la lessive.

La fillette s'insère une nouvelle fois entre les vieilles caisses. Rachel sanglote toujours en tremblant. Elle fait songer à un jeune animal malade, un chien battu se cachant pour souffrir en cachette.

Dominique arrache plusieurs feuilles d'un Paris-Match, les chiffonne avec méthode, elle a souvent observé son père, et en fait un tas juste devant elle. Ensuite, elle approche la pile de revues tout contre ces boulettes. Rachel la regarde, muette, les yeux ronds. Dominique ne s'en soucie plus ; ce qui lui reste à faire nécessite une grande application. Elle casse les deux premières allumettes entre ses doigts engourdis ; elle a dû ôter ses mitaines, puis enfin, enflamme la troisième. Rachel sursaute : une espèce de sixième sens lui fait deviner la suite des événements. Dominique dépose l'allumette vivement sur le tas de papier. Une odeur de soufre remplit l'atmosphère. La flamme vient près de s'éteindre, se relève, prend quelques secondes à gagner force et puissance, puis de petites lueurs jaunes et bleues montent du papier en même temps qu'un relent d'encre. Vite celles-ci viennent lécher les revues avec une vigueur grandissant sans cesse. Éclairé par cette lumière nouvelle, le visage de Rachel devient fantomatique. Sur une photo, le général de Gaulle se recroqueville sur lui-même, se boursoufle de centaines de pustules, devient gris, craque puis s'écroule en cendres. Les flammes sont maintenant hautes de plusieurs centimètres.

Bientôt, l'air devient irrespirable. Dominique, qui est toujours restée du côté du tunnel, se retourne ; il est grand temps de sortir. Elle regarde une dernière fois la figure de sa sœur qu'elle ne reverra plus jamais. Les yeux de l'enfant n'expriment étrangement plus rien ; ils sont rivés aux flammes ; ses paupières ne cillent plus. Elle serre la tête de la poupée contre sa poitrine mouillée de larmes mais ne pleure plus... À quoi bon ?...

Dominique met la boîte d'allumettes dans la poche de son manteau puis s'enfuit. Elle ne se sent ni triste, ni coupable. Elle entre chez elle par la porte arrière, retire ses vêtements d'extérieur, monte l'escalier menant au premier étage et à sa chambre d'où, elle le sait, elle pourra voir la scène.

Quand elle s'installe à la fenêtre, le feu perce déjà le toit de l'igloo. Elle voit Christian tout près de là et se demande où il était passé pendant tout ce temps. Il regarde la scène, inconscient de son côté tragique. Le feu prend vite de l'envergure et bientôt, tandis que des curieux s'assemblent, toute la masse que constitue le tas de boîtes et de caisses qui sera désormais une tombe s'écrase avec fracas.

Les flammes menacent maintenant la maison des Denoncourt. Des gens arrivent de partout. On gesticule, chacun se demandant que faire. Dominique aperçoit sa mère puis son père qui, revenant du travail, va la rejoindre à vingt mètres à peine du lieu de l'incendie.

Dominique s'étend sans se dévêtir sur son lit et sombre presque aussitôt dans un sommeil agité. C'est tôt le lendemain que sa mère découvre la boîte d'allumettes dans sa poche.

*

*   *

— Excuse-moi, Dominique !

— Dominique !

La jeune femme secoue la tête et aperçoit, à côté d'elle, le tronc légèrement penché vers l'avant, un grand homme maigre dégageant un mélange d'odeurs de savon, de crème à raser et de désinfectant. Il s'appuie à un balai dont le manche lui arrive au creux de l'aisselle droite. Ses mains sont noueuses. Voyant qu'elle le regarde mais demeure absente, Tom O'Farrell murmure encore :

— Dominique !

Cette fois, la jeune femme l'entend. Elle se lève doucement. Tom déplace la berceuse, passe consciencieusement son balai, puis la remet au même endroit.

— Tu peux te rasseoir si tu veux. Mais tu serais bien mieux d'aller te coucher. Tu as vu l'heure qu'il est ? Presque tout le monde est au lit maintenant. Tu ne t'endors pas ?

Tom réside dans ce vieux manoir depuis vingt ans. Il en a maintenant cinquante-cinq, mais ses multiples rides lui en donnent dix de plus. Un jour, pour tuer le temps, il s'était improvisé homme de ménage. Cet emploi lui faisait paraître les jours moins longs et le laissait fier de pouvoir rendre service à ceux qu'il aimait. Maintenant Tom est un homme heureux de son sort.

— Oui, oui, répond Dominique en étouffant un bâillement, je ne tarderai pas.

Effectivement, elle se sent épuisée. L'effort mental exigé par ce rappel du passé a grugé ses forces.

L'horloge surplombant l'immense cheminée indique près de 23 heures. Elle décide de se coucher immédiatement sans même prendre de douche, contrairement à son habitude. Elle marche vers le centre de la maison, monte l'immense escalier, large de plus de deux mètres, tourne à droite dans le grand couloir où s'ouvrent, toujours à droite, plusieurs portes de chêne. Face à chacune de ces portes, une fenêtre perce le mur, donnant vue sur la cour arrière bordée d'érables. Près de la maison est érigé un petit garage servant d'entrepôt.

Sa chambre est assez vaste ; elle comprend une toilette et un lavabo séparés du reste de la pièce par une cloison mobile. Sentant le sommeil proche, elle se déshabille lentement. L'air frais lui donne la chair de poule. La vue de sa peau blanche ramène Jean dans son esprit.

Dominique contemple son reflet dans le miroir au-dessus de sa commode. C'est celui d'une femme de 30 ans qui en paraît un peu plus... Mais cela la laisse indifférente. Elle est jolie, certes, mais sa coiffure, son allure générale ainsi que sa façon vieillotte de porter des vêtements souvent élimés trahissent un manque de souci pour son apparence physique. C'est une valeur qu'elle ne connaît pas. Elle aime plaire, bien sûr, mais davantage par ses qualités.

Il n'y a jamais eu d'homme dans sa vie. Oh ! elle éprouve bien quelque chose pour Jean, mais c'est là un sentiment si confus : elle se sent bien en sa compagnie ; c'est différent de ce qu'elle éprouve avec Tom par exemple. La présence de Jean fait naître des bulles dans son cœur, la rend heureuse et souriante. Tout devient secondaire lorsqu'il est là.

Dominique s'avance jusqu'au lavabo, somnolente, se lave rapidement, brosse ses dents avec application puis se glisse dans son lit. Elle se couvre jusqu'au cou. Ses draps de flanelle dégagent une forte odeur d'empois.

Rachel revient la préoccuper une dernière fois. Dominique, malgré le sommeil proche, s'imagine un visage, celui de sa sœur, dans les yeux desquels dansent des flammes. Elle croit entendre des sirènes. Le brasier apparaît encore, puis s'éteint subitement.

Quelques secondes avant de s'endormir, en cet instant précis où l'on perd la notion de ce qui nous entoure, où l'on tombe dans un autre monde, Dominique se sent bercée par un mouvement continu et très léger de va-et-vient. Tous les soirs ramènent dans son esprit les bras et le corps puissants de

l'oncle Ernest. Ce n'est pas un être de chair! Petite fille, elle
s'était inventé ce personnage protecteur qui remplaçait un père
inattentif. L'oncle Ernest était toujours bon et gentil. Vingt-
cinq ans plus tôt, il accompagnait Dominique partout; elle
sentait si bien sa présence qu'elle pouvait jouer avec lui.
Quelqu'un partageait enfin ses joies et ses peines.

«Dors ma fille, dors. Je veille sur toi. Ne crains rien. Je
t'aime, mon enfant.»

Dominique s'endort tandis que dehors le vent se calme
enfin.

III

La maison St-Marc se réveille tous les matins avec le branle-bas caractéristique des hôpitaux. Les sons les plus divers agacent les oreilles des lève-tôt. Ils naissent généralement dans l'aile gauche du gros édifice, au premier étage, où se situe l'infirmerie. Les habitués identifient bientôt les bruits ténus de seringues s'entrechoquant sur leurs plateaux, de glissements de pas se lançant dans toutes les directions ; puis, un peu plus tard, les bruits plus sourds de portes s'ouvrant ou se fermant, font sursauter les habitants au sommeil moins léger.

Plus tard, les sons extérieurs pénètrent la bâtisse. Ce n'est pas là la cacophonie du centre-ville, la maison étant située dans un quartier tranquille, mais plutôt une douce musique d'activité humaine qu'il fait bon entendre dans un milieu clos et limité, où les stimulations sont rares.

Dominique se réveille et s'étire en grognant. Des voix se font entendre près de la porte de sa chambre. Tom est sans doute déjà au travail. Ce dernier, de l'autre côté du battant, s'attaque aux lattes du plancher. La voix du docteur Marotte le salue avec gaieté et prononce quelques paroles aimables sur la qualité de son travail. Dominique sourit. Elle entend le médecin frapper chez sa voisine, Léontine, une dame âgée très dépressive.

Dominique déteste au matin la fraîcheur qu'elle apprécie tant au moment de se coucher : elle hésite à sortir des draps confortables, tout chauds. Elle bâille plusieurs fois, étend ses bras loin derrière sa nuque puis, rejette les couvertures sur le côté et s'assoit brusquement sur son lit. Son corps frissonne. Tournant la tête, elle consulte l'horloge accrochée près de la fenêtre. Neuf heures quinze déjà. Elle marche jusqu'à la penderie et enfile une robe de chambre de chenille bleue. Comme elle s'apprête à sortir, on cogne à sa porte.

— Entrez.

Les yeux de Dominique se voilent.

— Ah non. Pas ça. Allez-vous-en... Je ne veux pas... S'il vous plaît, laissez-moi tranquille.

Son air subitement abattu fait vraiment pitié à voir.

Deux infirmières se glissent dans la pièce.

Jeanne porte un petit plateau métallique contenant une seringue remplie aux trois quarts d'un liquide transparent.

— Nous sommes désolées, Dominique... Tes parents viendront te visiter à la fin de l'avant-midi. Alors, tu connais la routine... Sois docile et allonge-toi sur ton lit.

Elle tend la seringue pointée vers le plafond. D'un geste du pouce, elle en fait jaillir quelques gouttes qui vont se perdre sur le tapis.

— Pourquoi ? Dominique est furieuse. Je veux les voir comme ça, sans piqûre.

— Tu sais bien que c'est impossible, Dominique.

L'infirmière fixe l'extrémité de l'aiguille avec attention.

— Nous sommes tes amies et nous agissons pour ton bien.

Ce même cérémonial médical précède chacune des visites de monsieur et madame Boily à Dominique. Pourtant, elle ne désire en aucun temps les recevoir. Elle garde de mauvais souvenirs de ses parents. Leur présence les ravive bien qu'elle tente de les oublier.

Les premières visites qu'ils lui avaient faites après son admission à la maison St-Marc avaient donné lieu à d'effrayantes crises de la part de Dominique.

Elle était alors adolescente. Même si cette période est pour elle un peu artificielle, elle est quand même difficile. Ses premières menstruations l'ont beaucoup perturbée. Personne ne lui avait parlé de la puberté, de l'adolescence, les uns prenant pour acquis que l'éducation s'effectuerait par les autres, et les autres par les uns.

Elle chassait alors ses parents par des paroles violentes et incohérentes qui laissaient chez eux un trouble évident. Le docteur Stanley, son psychiatre et propriétaire de la maison, avait alors décidé de lui administrer un calmant avant la venue des Boily, malgré les objections qu'elle avait levées.

Dominique sait maintenant qu'il ne sert à rien de lutter. Elle n'accepte pas que l'on décide ce qui est bon pour elle, qu'on la manipule ainsi, mais doit se résigner.

Et lorsque Stanley avait pris sa retraite, elle avait pensé convaincre son nouveau médecin, le docteur Marotte. Mais celui-ci s'était montré tout aussi inflexible bien qu'il comprenne son point de vue. Au cours d'un long entretien qu'ils avaient eu, Dominique et lui, il avait dit à sa patiente : « Je suis d'accord avec toi mais je ne peux rien contre le droit des parents de voir leur enfant. Ma décision peut te paraître injuste, mais j'agis selon ma conscience. D'ailleurs, Dominique, ce sont eux qui défraient les coûts de ton maintien à la maison... Sans cela, tu sais très bien où tu serais. »

Dominique, qui avait déjà lu le désespoir sur le visage d'une ancienne pensionnaire ayant dû retourner à l'hôpital psychiatrique, avait sursauté sous la menace. Marotte avait ajouté : « Donc, à défaut de te voir dans de meilleures dispositions à l'égard de tes parents, nous devons poursuivre ce traitement ».

Il avait osé appeler ces injections un traitement... Dominique était sortie du bureau sans voix.

Mis à part cette mésentente, la jeune femme doit avouer que le docteur Marotte est habituellement très compréhensif et d'une grande compétence. Au fond, elle l'aime bien.

Depuis ce temps, le médecin souhaitait fort que les Boily réduisent la fréquence de leurs passages à la maison, peut-être même qu'ils les abandonnent carrément pour un temps. À l'insu de Dominique, il leur avait même demandé, sans succès, de réfléchir à cette possibilité pour le bien de leur fille. Par la suite, le couple s'était montré méfiant envers lui.

Le psychiatre n'avait eu aucune peine à diagnostiquer chez les parents de Dominique un fort complexe de culpabilité, ce qui l'avait étonné d'ailleurs car il n'avait jamais constaté auparavant dans sa carrière un complexe présentant sensiblement la même nature et la même intensité chez deux personnes distinctes.

Les dossiers de Dominique que lui avaient remis les médecins européens ne permettaient pas d'élucider la question qu'il se posait : De quoi peuvent-ils bien se sentir coupables ainsi ? Le simple fait d'avoir un enfant psychiatrisé n'aurait pas causé un complexe aussi aigu. Et Dominique qui ne parlait que très peu d'elle-même, de son passé, refusait de se confier.

Dominique s'allonge sur son lit, à plat ventre, tout en remontant sa robe de chambre jusqu'à découvrir sa fesse droite. Jeanne Mainguy y trace une petite croix avec une ouate imbibée d'alcool. La pointe de l'aiguille disparaît sous la peau fraîche, au centre de la marque. Le liquide quitte l'ampoule avec régularité. L'opération terminée, la compagne de Jeanne applique une gaze à l'endroit de la piqûre. S'assoyant sur le lit, elle essuie les larmes de Dominique. Elle est la première en désaccord avec cette administration de sédatif, mais doit tout de même exécuter les ordres...

La jeune femme reste étendue quelques minutes dans la même position. Elle se sent si mal dans sa peau...

Elle est souillée par ce maudit liquide qui coule maintenant en elle. Son corps, qu'on manipule sans qu'elle puisse se défendre, lui fait honte.

Après quelques minutes, le tranquillisant faisant effet, Dominique se lève, s'habille, puis retourne s'asseoir sur son lit. Tout ce qu'elle peut faire maintenant c'est attendre.

*
*   *

Philippe Boily et Yolande Dagenais sont tous deux originaires de Montréal où ils ont vu le jour respectivement en 1926 et 1924. Si Philippe vient d'un quartier pour le moins populaire de la métropole, Yolande, elle, est l'enfant chérie d'une famille financièrement à l'aise d'Outremont. Dès son jeune âge, ses parents lui enseignent l'anglais et en font une spécialiste de la bienséance. Son père, qui est avocat, l'élève avec l'idée que l'on doit être ouvert sur le monde et très cultivé pour bien réussir sa vie.

En 1945, à 21 ans, elle rencontre celui qui, trois ans plus tard, deviendra son mari, prouvant à tous que les contraires s'attirent. Ses parents ne sont pas particulièrement favorables à cette union. Monsieur Dagenais, entre autres, est du genre à se méfier de tous ceux qui ne font pas partie de sa classe sociale.

Au début de leur union, malgré un amour qui conduit Yolande à d'importantes concessions, elle veut continuer à vivre dans un certain luxe. Elle incite Philippe à accepter de l'argent puisé dans ses économies personnelles afin de mettre sur pied un commerce. En fait, elle supporte mal que son mari ne soit qu'un petit salarié sans grande importance. Celui-ci, trop fier, refuse cette offre avec mauvaise humeur ; il est bien capable de faire vivre sa femme. Cependant, il réalise vite que ses revenus de mécanicien ne lui permettront jamais d'amasser un capital à la hauteur de ses projets.

Il commence donc sa carrière de quincaillier grâce à l'argent de son épouse. Mais, deux ans plus tard, la multiplication des compétiteurs et le fait qu'il se croit supérieur et refuse tout conseil entament la rentabilité de son entreprise. Il fait faillite, engloutissant ainsi une grosse somme d'argent.

Suite à ces événements, Philippe, qui déteste les échecs, songe à quitter le pays pour s'établir à l'étranger. Il veut refaire sa vie, leur vie. Bientôt, ils fixent leur destination : ce sera la Suisse. Yolande pourra facilement y trouver un travail avec son diplôme d'infirmière. Mais celle-ci tombe enceinte. Neuf mois plus tard naît Christian.

Philippe se montre si fier de son fils. Ce petit poupon réussit à lui faire oublier ses problèmes financiers en plus de réveiller son côté chef de famille.

C'est donc un an plus tard qu'ils prennent tous trois le bateau en direction de l'Europe, après la vente complète de leurs biens. Grâce encore une fois au compte en banque de Yolande, alimenté quelques mois plus tôt par l'héritage que son père lui avait laissé à son décès, ils débarquent en Europe en possession d'un joli magot qui leur permet d'acheter une nouvelle quincaillerie. Cette fois, Philippe ne répétera pas les erreurs du passé.

Cet achat, cependant, assèche leur compte d'épargne. Comme prévu, Yolande doit travailler dans une clinique de Genève jusqu'au septième mois d'une nouvelle grossesse, non désirée celle-là. Christian a deux ans quand Dominique vient au monde.

Yolande, dont l'accouchement fut difficile, ne peut reprendre le travail. Mais de toute manière, les affaires vont bien. Philippe peut faire vivre plus que décemment sa femme et ses enfants. Bientôt, d'ailleurs, elle se retrouve à nouveau enceinte.

Elle passe donc les deux années suivant la naissance de leur seconde fille, Rachel, à mettre à jour la comptabilité quotidienne du commerce. Elle exécute ce travail sans quitter le logis. Ses loisirs se résument à la fréquentation de cercles littéraires ou simplement amicaux.

Philippe ne l'accompagne jamais à ces réunions : il n'a pas d'amis et n'en veut pas ; les relations d'affaires lui suffisent. Ses loisirs sont le commerce, ses projets, sa réussite. Quant à ses espoirs, il les place en Christian qui sera toujours pour lui une bouée de sauvetage au cours des épreuves qui marqueront sa vie.

Dominique est âgée de quatorze ans lorsque son père est victime d'une crise cardiaque. Ses médecins lui conseillent de se mettre au repos en évitant toute source de tension.

Son entreprise devenue une charge trop lourde pour un homme seul, et Christian n'ayant pas encore terminé ses études, Philippe vend la quincaillerie, au grand désespoir de son fils. Il lui promet de l'aider, plus tard, à monter son entreprise. Il lui remettra même une partie du montant de la vente de la quincaillerie afin qu'il parte sur le bon pied.

La petite famille quitte la Suisse pour retraverser l'Atlantique. Dominique les suit deux mois plus tard. Depuis le meurtre de Rachel, elle est pensionnaire dans un hôpital psychiatrique pour enfants de Lausanne, presque à l'extrémité du Lac Léman. Ils s'établissent à Charlesbourg, près de Québec. Dominique est internée, dès son arrivée, dans un hôpital régional pour fin d'évaluation. Ensuite, sur recommandation des psychiatres, ses parents autorisent le transfert à la clinique du docteur Stanley.

*
*   *

Vers 10 h 30, Philippe et Yolande Boily quittent leur domicile pour se rendre à la maison St-Marc. Philippe, tenant le volant d'une main nerveuse animée d'un léger tremblement, engage son véhicule sur le boulevard Laurentien en direction de Québec. Le soleil, au-dessus de la rive sud, brille de tous ses feux malgré la fraîcheur printanière.

Philippe jette un coup d'œil rapide vers sa femme.

— Ne fais pas cette tête, Yolande, moi non plus je n'ai pas envie d'y aller. Mais a-t-on le choix ?... Nous ne pouvons rester trois semaines sans aller à l'hôpital.

Yolande et Philippe utilisent toujours le terme « hôpital » pour désigner la maison et la phrase « aller à l'hôpital » au lieu de « aller voir Dominique ». En dehors de ces visites, ils s'efforcent tous deux, bien que cela soit difficile, de ne jamais penser à leur fille.

Philippe continue.

— Nous pourrions toujours cesser d'y aller ; mais les remords nous dévoreraient.

— N'est-ce pas plutôt la crainte de ce que penseraient les employés et les médecins ?

Yolande pousse un long soupir. Elle ne voulait pas être blessante.

— Pourtant... Pourtant... J'aimerais tant avoir la force de ne plus y retourner...

Elle montre du menton la route qui s'étend devant eux.

— De ne plus la revoir, de l'oublier complètement.

Elle se tait quelques secondes. Ses yeux semblent ne rien voir.

— Bon Dieu, pourquoi sommes-nous ainsi faits ?

— En fait, tu préférerais qu'elle n'ait jamais existé ?

Yolande hésite.

— C'est ça, je crois... Mais ça me fait mal de l'avouer.

Philippe se sent personnellement coupable en entendant des paroles aussi odieuses : elles traduisent ses propres pensées. Lui aussi a mal. Dominique a toujours représenté pour lui un poids difficile à supporter, bien qu'il refuse de l'admettre.

— Je ne l'aime pas. Que veux-tu ? C'est ma fille, mais ça ne change rien. Elle n'a rien de commun avec nous.

Philippe s'interroge. C'est vrai que ce serait bien plus simple d'oublier Dominique complètement. Yolande a raison. C'est ce qu'il désire. La vue de sa fille déclenche en lui des douleurs qu'il ressent physiquement... Une sorte d'angoisse. Il a peur pour son cœur. Et pourtant, il ne peut s'empêcher de revenir la voir, quinzaine après quinzaine. Pourquoi ? Pourquoi ? Par remords ? Par orgueil tout simplement ? Parce qu'au fond il l'aime encore ? Non, c'est impossible. Depuis que Dominique a huit ans, il s'est conditionné à la détester.

— En tout cas, elle a fait de moi un homme amer... Ça doit être de plus en plus difficile de vivre avec moi.

— Si c'était à refaire, Yolande, recommencerais-tu ta vie de la même façon, avec moi, compte tenu du passé ? De l'avenir ?

— Bien sûr, Philippe.

Yolande pose délicatement sa main sur le bras de son mari.

La nervosité déforme sa voix. Ses yeux ne quittent pas la chaussée. Elle n'en recommencerait peut-être pas toutes les étapes.

Philippe tourne à droite après un gros édifice en construction. Une centaine de mètres plus loin, il oblique à nouveau à droite sur l'avenue Bach. La silhouette encore lointaine du Château Frontenac avec ses tourelles aux toits verts et cuivrés apparaît brièvement devant eux.

La rue St-Marc. C'est une des plus belles de la ville, bordée sur toute sa longueur d'ormes et d'érables séculaires. La Saab longe un immense terrain. Un mur bas, en maçonnerie, ceinture le jardin de la maison St-Marc.

Philippe et Yolande Boily arrivent sur le stationnement devant la gigantesque habitation. Après avoir précautionneusement garé la voiture, ils restent silencieux quelques secondes, songeant qu'il est encore temps de rebrousser chemin. Philippe sort enfin de l'auto. Yolande le rejoint aussitôt. Ils se dirigent main dans la main avec le même air dépité peint sur les traits vers l'entrée principale dont ils gravissent l'escalier monumental de vieilles dalles de marbre. Les années et les intempéries ont à peine réussi à en altérer le poli.

L'édifice a fière allure avec sa façade de moellons gris, sa toiture garnie à intervalles réguliers de lucarnes au large jambage, ses deux énormes cheminées. Sous le porche, une porte de chêne massif donne accès à un petit vestibule sans fenêtre de deux mètres sur trois environ. Puis une nouvelle porte s'ouvre sur le hall d'entrée.

Pour Yolande Boily, ce vestibule, où elle lisse nerveusement son manteau, constitue une sorte de palier de décompression, on aurait aussi pu dire de compression entre la vie réelle et une autre qu'elle aurait tant souhaitée irréelle. À chacune de ses visites, elle fait des efforts pour les dissocier, mais sans vraiment y réussir.

Philippe pousse la porte, la tête haute, le visage fermé, tentant le mieux possible de dissimuler ses sentiments contradictoires.

Un vieillard leur souhaite la bienvenue d'une voix faible. Il se penche et inscrit le nom des Boily dans un petit registre. Il connaît bien les parents de Dominique. Quand celle-ci est arrivée à la maison, il occupait déjà son poste, dans le hall, depuis plusieurs années. Le docteur Stanley l'avait soigné au début de sa carrière.

L'escalier conduisant aux chambres des résidents est juste devant eux. À droite du hall d'entrée se trouve la salle commune dont les nombreux fauteuils sont vides à cette heure-là. À gauche logent les locaux administratifs, vétustes mais rendus sympathiques par une décoration vivante. Juste à côté, un couloir mène aux bureaux plus spacieux et plus modernes des docteurs Marotte et Quesnel. Ces bureaux servent aussi de salles de traitement.

Le personnel se compose d'abord de deux psychiatres en charge de l'ensemble des patients de la maison, de six infirmières et de trois infirmiers. Jean fait partie de ceux-ci. Quelques cuisiniers, secrétaires, un chauffeur et le vieux gardien, complètent la liste des employés. Il y a aussi des bénévoles qui viennent parfois tenir compagnie aux clients, créant avec eux des relations généralement positives.

La maison St-Marc compte 30 lits. Ils sont généralement tous occupés, les résidents la quittant se voyant vite remplacés par d'autres... Mais ce roulement est fort réduit. On y trouve des pensionnaires de tout âge. Pour être admis à la maison, il faut répondre à deux conditions : être capable de payer le coût élevé de la pension et avoir subi dans un hôpital psychiatrique des tests démontrant une capacité de vivre dans un milieu où il y a peu de surveillance. Les résidents de St-Marc sont donc tous assez autonomes.

Les patients souffrent de divers troubles mentaux : dépressions nerveuses chroniques, névroses mineures. D'autres sont d'anciens alcooliques dont les hallucinations ne veulent plus disparaître. On y rencontre aussi deux visionnaires victimes de délires religieux, un ancien président de compagnie atteint de la maladie d'Alzheimer et Dominique, la pyromane.

Comme le personnel, les résidents, au gré du temps, ont constitué une grande famille où sont nés des sentiments d'amitié. Dominique, pour sa part, est plus réservée. Elle apprécie bien Tom pour sa générosité et sa bonté mais sans pouvoir pour cela le qualifier d'ami. Il lui est sympathique, tout simplement. Le docteur Marotte est aussi très important pour elle. Ce qu'elle ressent pour Jean, toutefois, est beaucoup plus mystérieux...

*

*   *

Parvenus sur le palier séparant les deux volées de marches de l'escalier central, près d'un socle sur lequel on a placé une statue de Marie, Philippe et Yolande Boily lèvent la tête en entendant des pas précipités descendre vers eux.

— Bonjour monsieur Boily ! Bonjour madame, lance le docteur Marotte. Heureux de vous revoir.

Il tend la main vers le père de Dominique.

Philippe apprécie peu le médecin, néanmoins, il tend aussi la sienne en saluant. Yolande, à son tour, glisse une main molle et moite dans celle du médecin. Puis la retirant avec hâte, elle grommelle un bonjour presque inaudible. Son visage exprime une espèce de honte, pense Marotte.

En fait, Yolande, avec son regard triste, ses yeux fixant le plancher, ses épaules voûtées, est l'image même de la pitié.

Rarement dans sa carrière Claude Marotte a-t-il rencontré un parent de psychiatrisé aussi atterré par les circonstances. Si ça continue, pense-t-il, elle aura bientôt besoin d'un psychiatre... À moins qu'elle ne joue la comédie... Il tourne son attention vers le père.

— Votre fille se porte bien. Elle a reçu son calmant comme à l'habitude...

Un pli de mécontentement creuse soudainement le front de Philippe Boily. Attention, pense le médecin, ménageons nos paroles.

Se porte bien! songe Boily. Comment peut-on bien se porter dans un hôpital psychiatrique? Quand on a besoin de piqûres pour rencontrer ses parents...

Mais Marotte continue.

— J'espère que tout va selon vos désirs? Si quelque chose vous inquiète, n'hésitez pas à vous confier... Je suis là pour aider Dominique, mais aussi pour vous aider.

Le couple reste d'abord muet quelques secondes puis Philippe regarde sa montre.

— Excusez-nous, docteur. À bientôt.

Ce bref dialogue laisse Marotte pensif. Il retourne lentement à son cabinet. Chez les Boily, bizarrement, les silences sont plus éloquents que les paroles. « Si je pouvais percer leur secret, dit-il à haute voix pour lui seul, les amener à me raconter leur vie. »

Tous les gens qu'il rencontrait laissaient deviner leur personnalité. Cela pouvait se faire consciemment ou par divers autres petits indices précieux pour lui, se prêtant bien à interprétation. Or, ce qui le laisse perplexe et en même temps le surprend chez les parents de Dominique, c'est à la fois la rareté et le caractère excessif de ces signes. La tristesse de Yolande, en outre, est presque anormale compte tenu du fait que Dominique vit à la maison St-Marc depuis longtemps et qu'elle la voit régulièrement. Dans ce cas précis, tous les processus psychologiques d'adaptation qu'il avait étudiés prévoyaient que les parents auraient dû s'être adaptés à la situation depuis longtemps, ce qui n'était, semble-t-il, pas le cas.

Marotte soupire. Ses réflexions, plutôt que de le rassurer, augmentent sa confusion.

Philippe et Yolande débouchent dans le grand et large corridor traversant toute la construction. Ils prennent la direction des chambres. Elles sont réparties dans cette section du premier étage et sur tout l'étage supérieur.

À droite, les portes des chambres des résidents laissent passer des murmures, des voix nasillardes, des bruits d'activités humaines. Ils longent le mur jaunâtre. Tom, à l'autre extrémité du long couloir, nettoie des carreaux. Les Boily font comme s'il n'était pas là. L'Irlandais les dévisage avec son sans-gêne habituel. Philippe s'arrête enfin. Son souffle est court. Il cogne à la porte et celle-ci s'ouvre d'elle-même, laissant apparaître à leurs yeux maintenant résignés l'image de leur fille.

Mi-assise, mi-étendue, Dominique tourne vers eux un visage inexpressif. Elle porte un pantalon de velours brun et un pull ivoire un peu usés. Ses traits paraissent tirés.

— Bonjour Dominique.

— Bonjour ! Asseyez-vous !

Sa voix tremblote. Le sédatif a complètement éliminé son agressivité.

— Comment vas-tu ? Son père s'approche du lit avec hésitation.

— Bien, bien ! Elle demeure évasive.

Puis Philippe, quelquefois secondé de son épouse, se lance dans une conversation décousue, à sens unique. Ses informations ennuyeuses concernent leur nouvelle auto, la maison, les dégâts du chien et une foule d'autres sujets sans intérêt. Pas un mot à propos de Christian ou d'affaires familiales... Ces matières étaient taboues.

Dominique n'a plus entendu parler de son frère depuis très longtemps. Au début de leur séparation, elle posait parfois des questions à son sujet, mais les réponses restaient vagues. Ses parents paraissaient mal à l'aise. Peu à peu, elle s'était désintéressée de lui et ne s'en était plus préoccupée. De toute manière, elle ne l'aurait probablement pas reconnu. Il ne faisait plus partie de sa vie.

La jeune femme les écoute distraitement. Tantôt elle sourit bêtement, tantôt elle répond machinalement à leurs questions. Elle aurait tant désiré faire surgir la rage ressentie dans son for intérieur... Les éconduire comme ils le méritaient. Mais, devant son incapacité à le faire, elle prend son mal en patience. De toute façon, la discussion ne dure jamais bien longtemps.

Ils ont si peu à se dire. Les silences deviennent plus longs, plus fréquents. Les paroles ne font que remplir le temps.

— Si tu as besoin de quoi que ce soit, avise-nous...

Philippe sent des nœuds dans sa gorge.

— Nous ferons tout pour toi...

Dominique sourit. Malgré le calmant, elle songe : quel hypocrite il fait... Il ferait tout pour moi sauf m'aimer.

— Nous devons partir maintenant. Repose-toi bien, nous reviendrons bientôt !

Ils marchent vers Dominique. Philippe l'embrasse sur une joue, Yolande, sur le front. Ils sortent lentement de la pièce, soulagés, sans échanger d'autres paroles.

Le gardien s'incline lorsqu'ils repassent devant lui.

Revenus à l'auto, ils s'assoient tous deux en silence. Yolande pleure doucement. Philippe démarre en pesant à fond sur l'accélérateur ; le moteur vrombit. Il n'entend plus les reniflements de sa femme.

— Cesse cela. Tu es ridicule. Pourquoi pleurer ? Tu as dit toi-même tout à l'heure que tu ne l'aimes pas.

Il fait tourner son véhicule dans l'allée conduisant à la rue St-Marc à une vitesse excessive. Les roues arrière patinent en creusant des ornières dans la couche de gadoue. Il contient mal la rage ressentie à voir sa femme dans cet état.

Sa voix est mauvaise. C'est dans cette unique circonstance qu'il peut être brutal envers son épouse ; mais cette dernière comprend le chagrin qu'elle lui cause et le lui pardonne sans rancune.

De la fenêtre de son bureau, le docteur Marotte, avec près de lui son collègue Quesnel, assiste au départ du couple. Il regarde pensivement la voiture s'éloigner.

Après le départ de ses parents, Dominique s'étend sur son lit. Elle fixe longuement le plafond, incapable de penser. Elle s'endort même, lorsque l'effet du tranquillisant est à son maximum et se réveille une heure plus tard. Elle a l'impression que son cerveau recommence à fonctionner. Elle se sent tellement mieux maintenant, seule.

« S'ils avaient su m'aimer et m'accepter comme je suis, comme j'étais, continue-t-elle à haute voix, tout aurait été différent. Si seulement je n'avais pas tué Rachel... J'aurais dû mourir à sa place. »

Sa vie était remplie de si... Elle maudit le sale liquide qu'on lui a injecté et qui lui donne à chaque fois des idées lugubres.

Dominique se lève en s'accoudant à une chaise puis, jugeant sa coordination revenue, se traîne les pieds sur l'épaisse moquette jusqu'à la fenêtre de sa chambre. Par beau temps, elle aperçoit la pointe de l'Ile-d'Orléans s'étirer entre deux clochers d'église ; mais cette fois le ciel s'est couvert pendant son sommeil.

De l'autre côté de la rue, bien au-delà du jardin, des enfants s'amusent dans une flaque de boue. Elle aurait voulu aller les rejoindre, se rouler avec eux sur le gazon jaune et froid et rire à en perdre haleine. Il lui semble qu'un tel retour en enfance effacerait ses pensées sombres, que ni l'avenir ni le passé n'auraient alors d'importance... Elle n'a plus fait ce genre de jeu depuis qu'elle vit en institution. Elle n'a plus vraiment ri. Il n'y a jamais eu matière à rire dans les asiles où elle a résidé. La détresse suintait de partout, des couleurs fades, des grilles aux fenêtres, des murs à la peinture écaillée, des faces blêmes de ses compagnons d'infortune.

Pourquoi ses parents tiennent-ils tant à venir la visiter, pense Dominique ? Ils n'y prennent pourtant aucun plaisir. Elle est certaine qu'il s'agit pour eux d'une corvée. La raison exacte... elle ne la saura probablement jamais... Et au fond, peut-être ne veut-elle pas vraiment la savoir...

Elle peut se tromper aussi. Ses parents l'aiment peut-être beaucoup. C'est elle qui les juge mal. Après tout, c'est elle la malade. Pas eux.

Dominique quitte la fenêtre. Le panorama devient de plus en plus gris. L'horloge indique maintenant treize heures. Elle n'a pas dîné mais ses soucis l'empêchent de sentir la faim. Elle fait quelques pas, se laisse tomber dans le fauteuil occupé par sa mère quelques heures auparavant, saisit une revue qui traîne dans un panier, et la jette négligemment sur ses cuisses.

Elle éprouve une espèce de jalousie face aux mannequins, personnages politiques et autres inconnus illustrant les pages. Pourquoi n'est-elle pas libre comme ces filles à bicyclette, ces hommes qui marchent dans la rue ? Pourquoi ne peut-elle aller où bon lui semble, quand elle le désire? Est-elle vraiment dangereuse?

Dominique reste dans cet état jusqu'à l'heure du souper. À la cafétéria, elle s'assoit loin du groupe, à une table isolée, face à un mur bleu pastel rappelant la couleur du ciel. Elle n'a pas le cœur à bavarder. Elle quitte rapidement et se rend à la salle commune.

Un bruit de porte lui fait tourner la tête vers le hall d'entrée. Jean arrive à l'instant. Il la salue de la main, un sourire aux lèvres. La jeune femme sent son cœur battre plus rapidement. Elle est subitement de bien meilleure humeur.

Dominique passe une soirée agréable, compte tenu des événements de la journée, en compagnie de la majorité des résidents de la maison St-Marc, réunis dans la grande salle du rez-de-chaussée. Jean trouve constamment un prétexte pour s'avancer vers elle, l'interroger, rechercher son approbation comme un jeune amoureux.

Et, comme par magie, les sujets abordés par Jean lui plaisent toujours autant. Il trouve toujours le bon mot. Elle se sent flattée de tant d'attention. Que c'est agréable d'avoir près de soi un bon ami...

Tom s'approche de la jeune femme.

— On dirait que Jean t'aime bien, n'est-ce pas?

— Voyons, répond-elle en riant, subitement timide, c'est ridicule.

— Non, ce n'est pas ridicule. Il ne regarde que toi.

Elle incline pensivement sa petite tête brune. Son rire se change en un sourire qui ne quitte pas ses lèvres.

— Tu verras, tu verras. Tom t'aura prévenue.

Son grand rire fait sursauter et maugréer un petit groupe de pensionnaires, tous assis au fond de leurs berceuses devant la retransmission d'un match de hockey.

Plus tard, au moment où plusieurs de ceux-ci regagnent leurs chambres, Dominique marche jusqu'à la cafétéria pour se préparer une tisane. Quelques minutes plus tard, Jean l'y rejoint mais elle n'en est pas surprise. Au fond, elle souhaitait presque son arrivée.

Dominique rougit dans la pénombre en se rappelant ce que Tom lui a dit. La présence de Jean, seul avec elle, à cette heure avancée, a à ses yeux quelque chose de compromettant. Jean réalise sa gêne à sa manière d'éviter son regard, à sa difficulté à débuter une conversation, elle qui, tout au long de la soirée, en présence des autres résidents, l'avait regardé avec une détermination qu'il avait jugée significative de ce qu'elle devait éprouver pour lui.

Jean s'informe de sa vie, de son passé et, bien qu'elle comprenne que ses interrogations soient motivées par un souci de rapports humains cordiaux, elle demeure quand même vague.

Elle réussit enfin à chasser son embarras et demande à l'infirmier, avec hésitation au début, puis avec plus d'assurance, de lui parler de ses activités, de son existence en dehors de la maison...

Ils parlent ainsi une trentaine de minutes. Pendant de courts silences, leurs regards se croisent, s'accrochent. Chacun essaie de lire ce que pense l'autre.

Dominique, timide, est toujours la première à détourner les yeux. Que se passe-t-il pour que son cœur s'emballe lorsque Jean la regarde de cette façon ?

Elle décide finalement de prendre congé.

— Je commence à m'endormir, Jean. Je vais monter prendre une douche et me coucher.

Elle se lève.

— Bonne nuit.

Ils se quittent sur un regard que Dominique aurait voulu plus long, plus tendre, mais après quelques secondes, n'y tenant plus, elle sourit faiblement et marche vers l'escalier.

— Bonne nuit, Dominique, à demain...

Demeuré seul, Jean consulte sa montre, une magnifique Longines sertie de diamants qui lui a coûté une petite fortune. Elle indique vingt-trois heures. Il ira la rejoindre dans cinq minutes. En attendant, ses yeux se fixent sur l'endroit où la jeune femme est disparue.

*
*   *

Dominique monte à sa chambre et y choisit une robe de nuit. Au moment de se rendre à la salle d'eau, à l'extrémité du corridor, elle se regarde dans une glace ; il y a dans ses prunelles une lumière inconnue jusque-là. Elle s'en réjouit.

Cette salle est constituée d'une petite pièce rectangulaire, aux murs complètement recouverts de carreaux de céramique. À gauche s'ouvre un petit couloir donnant accès aux douches. Cette disposition à angle droit permet d'entrer dans la première salle sans être vu de l'intérieur de la cabine.

Jean profite de ce fait lorsqu'il entend, après avoir entrebâillé la porte, le son des douches en action. Il s'avance dans la pièce jusqu'au seuil du corridor, puis reste un peu en retrait, dissimulé aux regards de Dominique par un simple rideau de caoutchouc qu'elle n'a tiré qu'à demi. Là, il observe tout à loisir la jeune femme. Elle se tient face à l'arrosoir, donc dos à lui, sous le jet puissant. Il contemple de longues secondes ce dos, ces fesses, ces jambes rendues luisantes par l'eau qui y ruisselle.

Dominique se retourne subitement, forçant Jean à fuir précipitamment. Il ne fallait surtout pas qu'elle le voie là. Les conséquences seraient fâcheuses pour lui. Il repart donc vers des activités plus professionnelles en gardant en mémoire la belle image de Dominique sous la douche, image qui le perturberait encore longtemps.

IV

La chaleur remplace rapidement la fraîcheur de la nuit, évapore la rosée abandonnée sur les feuilles tendres nouvellement écloses... La première vraie journée d'été de l'année... Aucun nuage dans le bleu du ciel.

Les docteurs Marotte et Quesnel profitent d'un congé bien mérité ; la semaine a été harassante pour l'un comme pour l'autre.

Roulant vers le nord sur une route secondaire, ils admirent la silhouette des Laurentides qui, de ses multiples teintes de vert, découpe l'horizon avec précision.

Les deux hommes arrivent bientôt sur le stationnement du terrain de golf. Quesnel stationne sa voiture à l'ombre d'un bosquet de pins sylvestres. Ils ont rendez-vous avec deux confrères, anciens compagnons de la Faculté avec lesquels ils ont gardé contact. Cette amitié se concrétise annuellement par une partie de golf et par quelques soupers spéciaux au temps des Fêtes, sans compter les téléphones signalant les événements particuliers et les vœux lors des anniversaires.

Ils sortent leurs sacs de l'arrière de la voiture lorsque vient se ranger à leur côté une rutilante BMW. Ils accueillent leurs amis avec poignées de main, cris et chaudes accolades.

Les docteurs Da Sylva et Côté pratiquent la psychiatrie dans un hôpital régional de la métropole.

La partie s'amorce donc sans qu'aucun des quatre golfeurs ne puisse vraiment se démarquer ; le meneur change après chaque étape.

Marotte, en route vers le sixième trou, résume à l'intention du docteur Côté le cas étrange de Dominique et de ses parents. Si quelqu'un peut lui venir en aide, c'est bien ce spécialiste.

Da Sylva, non loin de là, proteste en réalisant le sujet de conversation de ses amis.

— Chut ! Pas le droit de parler du travail aujourd'hui.

Mais la curiosité professionnelle de Côté est piquée. Après leur coup de départ, sur le parcours suivant, il va rejoindre Marotte. Il veut en savoir plus long.

— Il s'agit là d'un cas intéressant, conclut-il, après quelques minutes. J'aimerais bien rencontrer cette jeune femme et ses parents.

— Dans leur cas, ce sera plus difficile !

Marotte continue.

— Parfois, c'est étrange, j'ai l'impression... Je me demande s'ils veulent réellement le bien de leur fille. Oh ! ils le désirent, mais sans faire d'efforts autres que financiers. Non ! Je ne crois pas pouvoir compter sur leur collaboration. Je ne peux insister. Tu sais comme moi qu'il faut éviter de froisser les susceptibilités dans ce genre d'affaire.

— Auraient-ils quelque chose sur la conscience ? Même sans les connaître, ils me paraissent relativement mal dans leur peau...

— Et pour Dominique comme telle... As-tu un peu de temps à consacrer à son dossier? Tu me rendrais un grand service. Je suis pris au dépourvu, dépassé... Tout irait bien avec Dominique si ce n'était pas de ses parents. J'ai besoin de conseils, d'idées neuves pour faire face à ce problème.

— Sois sans crainte Claude, si tu n'as besoin que de conseils, il n'y a pas de problème. Convoque une conférence de cas en prétextant aux parties impliquées que tu souhaites analyser à nouveau le dossier. Compte sur moi, je serai là. Tu n'as qu'à me faire signe.

— Ça, c'est chic de ta part. Je n'en attendais pas moins de toi.

Un peu plus loin, au détour d'un bouquet de petites épinettes de St-Michel, ils trouvent le docteur Da Sylva, pestant comiquement contre sa balle qui s'est logée dans une trappe de sable humide, à quelques mètres à peine du vert et de la coupe.

La soirée se termine par un souper dans un petit restaurant du Vieux-Québec. On ne parle plus de travail mais plutôt de ses enfants, de ses occupations et de la saison de base-ball qui vient de débuter.

*
*   *

Claude Marotte arrive tôt à son bureau de la maison St-Marc en ce lundi matin au ciel menaçant, chargé de nuages prêts à crever. Aujourd'hui, il animera une rencontre à laquelle assistera Laurent Côté et, à cet égard, il doit être bien préparé.

Il déteste ces discussions, où parfois le sort d'un être humain est déterminé en quelques minutes; mais après des années de pratique, n'ayant découvert aucune formule plus avantageuse, il doit s'y résoudre.

Le médecin révise le dossier de Dominique, relit les notes qu'il y a ajoutées depuis cinq ans, puis se renverse vers l'arrière dans son fauteuil de cuir. Ce cas demande vraiment réflexion. Quels sont les besoins réels et fondamentaux de Dominique ? C'est à la jeune femme elle-même de les identifier et de lui en faire part. Tout psychiatre qu'il soit, il est plutôt immoral d'imposer des besoins qui ne sont importants qu'à ses yeux à lui... Il faut avant tout qu'il respecte les sentiments de Dominique.

« Je ne peux quand même pas prescrire des besoins comme je prescris des ordonnances... C'est l'argumentation que je tiendrai à la réunion. C'est à Dominique de choisir ce qu'elle veut de la vie dans la mesure où elle en est capable. Évidemment, nous pouvons l'aider... »

Marotte avait auparavant convoqué tous les intéressés par le cas de Dominique : travailleuse sociale, conseiller moral et une infirmière de la maison seraient là. Tous des gens susceptibles d'apporter un éclairage différent sur le comportement à maintenir face à Dominique et à ses parents. L'interdiction pour les Boily de visiter Dominique, bien que Marotte ait préféré ne pas l'envisager, serait peut-être une solution possible au problème. Côté lui avait d'ailleurs souligné au téléphone, lorsque la date de la réunion avait été confirmée, la décision d'un tribunal d'accéder à une telle requête d'un psychiatre ; il s'agissait donc maintenant d'une jurisprudence sur laquelle on pourrait éventuellement s'appuyer.

Mais au fond, Marotte a l'impression qu'un jugement en ce sens d'une cour de justice ne serait qu'un pansement sur une jambe fracturée. Cela ne ferait qu'éliminer les conséquences du malaise entourant Dominique et ses parents et non leur cause.

En accord avec son collègue Côté, il croit préférable que la jeune femme n'assiste pas à la rencontre malgré que ce soit généralement là une politique de la maison : il juge Dominique trop sensible pour y participer. Les propos qui y seraient entendus au sujet de ses parents pourraient ébranler le mince équilibre qu'on avait su créer chez elle grâce à un encadrement physique et psychosocial adéquat.

La discussion entre les divers spécialistes commence vers quinze heures. Les personnes présentes mettent rapidement Côté au fait du complexe dossier de Dominique. Avec son expérience, il parvient à se faire une idée assez précise du cas.

— J'ignorais que vivent ici des clients aussi fonctionnels. Dominique, d'après la description que vous m'en faites, me paraît fort autonome. Est-ce là exception ou pratique courante ?

— Plusieurs en effet se débrouillent très bien. En ce qui a trait à Dominique, je peux dire que dans la mesure où celle-ci rencontrait jadis les critères d'admission, il aurait été très difficile de la refuser. D'autant plus que sa famille — Marotte baisse le regard sur ses notes — satisfaisait aussi aux exigences financières.

Tous les participants sourient.

— Peut-on dire que Dominique est votre pensionnaire la plus autonome ?

— Oui. Je crois. Es-tu d'accord, Jeanne ?

— Oui, docteur. Mis à part Adolphe qui peut nous quitter quand il le désire.

— Bon, alors, dites-moi ce qu'elle fait ici ?

— Tu sais, réplique Marotte, Dominique ne sait rien de la société. Elle n'a connu que l'univers des institutions et des cliniques...

Madame Rouleau, la travailleuse sociale, s'allume une cigarette.

— Docteur Côté, seriez-vous contre la présence ici, ou dans d'autres établissements, de malades comme Dominique ?

— Non, non. Rassurez-vous.

Côté revient à la charge :

— Et croyez-vous qu'elle soit heureuse ici ?

Il crée une certaine gêne chez les participants, pris par surprise.

Vraiment, la rencontre ne se passe pas comme Marotte l'a prévu... Que faire d'une telle question ?... Il regarde dehors comme pour y chercher une réponse. Une pluie fine tombe sur les arbres aux feuilles immobiles. Est-il possible que Dominique soit malheureuse comme cette pluie ? Répondre négativement à l'interrogation de son collaborateur équivaut à établir un constat d'échec sur son travail. Si l'environnement général de la maison n'assure pas le bonheur de ses résidents, il y a un manque quelque part. Et si ce manque existe, le médecin et le personnel doivent se remettre en question.

Par contre, répondre par l'affirmative serait prétentieux et Marotte n'est pas prêt à assumer l'interrogatoire en règle de la part de Côté qui aurait suivi une telle réponse.

Mais peut-il affirmer en toute connaissance de cause que la maison rend effectivement ses gens heureux, parfaitement heureux ? Peut-on connaître le bonheur dans un univers clos où les stimulations font défaut ? Il aurait fallu être sot pour le prétendre.

Quand il est impossible d'être parfaitement heureux au sein d'une vie normale, se dit Marotte, comment peut-on l'être dans un monde n'ayant aucune commune mesure avec la réalité sociale quotidienne ?

Quesnel se lève et sert le café.

— Vous venez de soulever une question très grave, intervient l'aumônier, et avec beaucoup d'à-propos, il me semble. Car tout est là, mesdames, messieurs ; fondamentalement, tout est là.

L'abbé Bolduc parle avec une lenteur étudiée, cherchant le mot qui rendra le mieux sa pensée.

— Voyez-vous, nous pourrions faire venir Dominique parmi nous et lui demander tout bêtement si elle est heureuse... Mais que signifierait véritablement sa réponse?... Qui, dans cette pièce, s'est déjà interrogé sur ce que peut être le bonheur pour un homme, une femme, qui a passé sa vie entière dans une institution ou dans une prison, par exemple? Dominique n'a sans doute jamais connu rien de mieux que la maison St-Marc car elle a auparavant toujours vécu dans de gros hôpitaux où tout est impersonnel; dans ce cas, que peut-elle savoir du bonheur, je vous le demande?... Puisqu'elle ne peut comparer, n'ayant pas de point de référence, elle nous répondrait probablement que oui, elle est heureuse! Mais je tiens à le répéter, cela ne voudrait rien dire pour moi. Et, pour poursuivre cette spéculation sur une éventuelle réponse affirmative, nous pourrions répliquer: d'accord, elle est heureuse ici, mais le serait-elle plus si elle avait aussi la liberté? Bien sûr, répondrions-nous. Et si nous changions d'autres données, si elle avait la richesse par exemple, elle pourrait l'être encore plus, n'est-ce pas?

— Excusez-moi mon père, fait Claude Marotte, mais je m'étonne de vous voir imaginer la présence et l'absence de bonheur comme deux pôles. On pourrait alors se situer n'importe où entre ceux-ci. J'aurais plutôt cru absolues les notions de bonheur et de malheur.

— Mon ami, fait le prêtre, avec un sourire bon enfant, c'est ma conception et je peux me tromper... Mais laissez-moi terminer, je vous prie.

Il détourne le regard pour s'adresser à tous.

— Je vous poserai maintenant une autre grave question découlant de la première. Qui sommes-nous pour présumer du bonheur d'un de nos semblables?

Marotte devine que le prêtre rejoindra bientôt ses interrogations.

— Même s'il existe une ligne fictive sur laquelle nous nous situons tous, on ne peut hélas pas évaluer le bonheur ; il n'existe pas de mesures assez précises pour que, tout psychiatre que vous soyez, vous réussissiez un jour à le quantifier. Pour ajouter à la difficulté, il faut en plus que le bonheur soit différent selon les individus. J'ai administré un jour un agonisant ; c'était un vieil homme qui souffrait beaucoup. Il me dit comme ça, quelques minutes avant de mourir : « Je n'ai jamais été aussi heureux de toute ma vie. » Je lui ai demandé s'il n'aurait pas préféré guérir. Eh bien non ! Il ne voulait pas. Ça m'a fait réfléchir. Donnez-moi une définition du bonheur et je vous en soumettrai une moi aussi, tout aussi satisfaisante. Car chacune de nos définitions s'inspire de notre vécu personnel. Il est donc embarrassant de définir le bonheur des autres, ne croyez-vous pas ?

Il se tait et avale une gorgée de café.

— Pour Dominique, le problème reste entier. Personne ne peut dire si elle est heureuse, pas même elle.

— Je ne suis pas d'accord avec tout ce que vous dites, mon père, mais néanmoins votre exposé m'intéresse beaucoup. J'avoue m'éloigner de ces considérations philosophiques. Mais alors, demande Marotte, sentant que le prêtre les conduit en terrain productif, à quoi voulez-vous en venir au juste, quelle serait la solution ? Je ne vois pas encore la lumière au bout du tunnel.

Tous écoutent sa réponse avec attention.

— Tout d'abord, docteur Marotte, laissez-moi vous gronder.

Il fait une grimace comique.

— C'est une grave erreur que font beaucoup de médecins aujourd'hui de mettre de côté ce que pense le patient, en fait, de dissocier malade et maladie. Certains d'entre vous, je parle en général bien sûr, sont d'ailleurs préoccupés uniquement par la maladie alors que la victime est bien plus importante encore. Quand vous traitez quelqu'un, vous devez voir en lui une entité complexe faite non seulement de chair et de sang, mais aussi de sentiments... Et vous savez mieux que moi à quel point ceux-ci influencent la santé... Vous direz : « si un homme est malade, il ne peut être heureux » ; je vous répondrai : « si son environnement met tout en place pour qu'il soit heureux, il n'en acceptera que mieux sa maladie. » La même chose prévaut pour votre clientèle, messieurs. Mais j'arrête là cette théologie de la maladie car la solution, j'y arrive, (il voit Côté ouvrir la bouche pour l'interrompre, mais lui fait signe de le laisser poursuivre) la solution, reprend-il, en rassemblant ses idées, vient de ce que j'ai dit tout à l'heure : donnez à Dominique une plus grande liberté et elle risquera d'être plus heureuse, donnez-lui autre chose encore, elle nagera peut-être dans le bonheur, qui sait ? Elle a toujours eu une existence relativement pauvre, n'est-il donc pas temps de l'enrichir ?

— En somme, dit Côté, si je comprends bien, vous préconisez qu'on « libère » Dominique. C'est bien ça ? Qu'elle sorte de ce monde ?

— Docteur Côté, c'est effectivement une possibilité. Enfin, c'est disons... une suggestion. Mais ne perdez pas de vue que je ne suis qu'un simple conseiller moral et non un psychiatre. C'est à vous, il se tourne cette fois vers Marotte, de prendre la décision finale. J'ignore si, à votre avis, d'après les données, mesurables celles-là, que vous possédez sur Dominique, elle peut vivre en dehors de la maison ?

— Hum ! Marotte demeure pensif de longues secondes. Ce serait difficile quoique...

— Et si elle bénéficiait d'une aide constante ?... lance Côté.

Marotte hésite encore.

— Oui. Ça pourrait fonctionner. Je serais optimiste en tout cas.

Le psychiatre est si surpris du déroulement de la rencontre qu'il a du mal à éclaircir ses idées.

— Il n'y a aucun doute dans mon esprit que Dominique sera toujours un individu faible. Elle aura probablement toujours besoin que quelqu'un lui tienne la main, lui enseigne ce qu'est la vie. Par contre, je suis persuadé que malgré ses antécédents de pyromane, elle ne présente aucun danger pour la société. Malgré tout, les démarches préparatoires à une sortie devraient se faire en douceur. Depuis le temps où elle vit ici... quelques mois de plus ne changeront rien... Et il y aura aussi ses parents. Je ne crois pas qu'ils accepteront notre idée.

— Si vous avez besoin de moi, il me fera plaisir de vous seconder, fait l'abbé Bolduc. Je ne sais peut-être pas analyser ce qui se passe dans un cerveau humain, mais pour ce qui est de fouiller dans les cœurs pour en extraire le meilleur, vous pouvez compter sur moi.

— C'est bien aimable de votre part, mon père.

Marotte se lève. La réunion est terminée.

— Je crois que nous avons fait le tour de la question. Je tiens à vous remercier tous de votre participation... au nom de Dominique.

Chacun se salue et se prépare à quitter la maison. Côté, qui a été conquis par l'aumônier, s'approche de lui.

— Mon père, vous dites que vous n'êtes qu'un simple conseiller moral ; mais admettez que vous êtes doué d'une perspicacité peu commune.

Le prêtre part d'un grand éclat de rire.

— On se cultive, on médite pour suivre le courant. Voyez-vous, moi aussi je vis à la maison St-Marc ; je suis donc plus à même de comprendre ceux qui y résident que vous, par exemple.

Marotte demeure seul dans son bureau. Jamais il n'aurait anticipé un tel dénouement. Il doit cependant s'en avouer fort satisfait... Mais le plus délicat reste à faire...

V

Tous les gens qui vivent isolés, enfermés, qu'ils soient prisonniers, vieillards solitaires ou malades psychiatriques, ne peuvent se développer. Pour cela, ils ont besoin de parler, de rencontrer d'autres personnes qui seront pour eux une source de stimulations. Sans cela, leur estime de soi cesse d'exister ou n'apparaît jamais. C'est cette idée qui guide Marotte après son embauche à la maison St-Marc. Il mettra deux ans d'ardeur à en faire une réalité de la vie quotidienne pour ses pensionnaires.

L'arrivée de bénévoles prenant périodiquement charge des pensionnaires heurte cependant les susceptibilités. Les employés se sentent mis au rancart, croient qu'on ne leur fait plus confiance. Les parents de quelques résidents sont inquiets de voir leur fils ou leur fille confiés à des étrangers. On a toujours cru que le cadre enchanteur de la maison, les coins ombragés de son grand parterre, ses allées bien découpées et bordées de fleurs, la maison elle-même, chaude, belle, spacieuse, suffisaient à répondre aux besoins de ses habitants. On considérait que le personnel, toujours attentif et compatissant, répondait adéquatement à leur besoin de communication par le simple

biais des relations professionnelles et des soins qu'ils leur
prodiguaient.

Le docteur Marotte parvient néanmoins à faire taire les
critiques. Il leur démontre que si les résidents se sentent mieux,
physiquement et mentalement, leur état s'améliorera. « Regardez
l'atmosphère qui règne à la salle commune, dit-il un jour à
quelques membres du personnel, on se croirait dans un salon
mortuaire. Il faut faire quelque chose. »

Les résidents ne font plus rien. Ce beau décor, ces coins
ombragés, ces parterres fleuris n'égayent plus personne. Ils n'y
vont plus... Ils ont perdu le goût de vivre.

Le psychiatre a finalement gain de cause. Le système de
bénévoles longtemps planifié est enfin mis sur pied.

On passa premièrement par une phase de recrutement :
trois mois plus tard, chaque pensionnaire de la maison St-Marc
avait un bénévole qui lui était attitré. Chez certains couples, le
médecin nota que la sympathie du début des relations avait fait
place à une authentique amitié ; c'était là un succès inespéré car
au fond de lui-même, il n'avait jamais pensé que les liens entre
ses patients et les bénévoles deviendraient aussi positifs. Ceux-
ci étaient maintenant au cœur du travail de réhabilitation des
psychiatres.

*
*   *

Évelyne Laplante habite une petite maison modeste, pro-
prette, sur la rue de Hollande, à environ dix minutes en auto de
la maison St-Marc.

Sa petite résidence toute blanche au fond de la cour étroite
fait songer à une maison de poupée entre ses deux voisines,
plus imposantes. Mais elle n'en paraît que plus accueillante.

Dans le parterre, la pelouse prend déjà une belle teinte foncée. D'innombrables bouquets de toutes sortes attendent patiemment les chaleurs de l'été pour s'épanouir.

Dans la maison flotte le parfum de centaines de fleurs déjà ouvertes. Des plantes se dressent ou tombent de jardinières dans tous les coins et recoins.

Évelyne Laplante, avec son nom prédestiné, comme elle se plaît à le dire, est vraiment une jardinière hors pair. Cette bonne vivante, bien charpentée, reflétant la santé, a maintenant 52 ans mais ne les fait pas. Elle demeure dans cette maison que son mari lui a léguée depuis 25 années.

Yves est décédé cinq ans plus tôt d'une crise cardiaque. Mais, grâce au support de ses amis et surtout de ses deux fils, qui ont depuis quitté le foyer, elle s'est définitivement débarrassée de sa tristesse.

Évelyne est une femme attirante. Quelques veufs ont tenté de s'introduire dans sa vie, mais elle a décidé de ne pas se gêner de la présence d'un autre homme. D'ailleurs, elle se sent bien incapable de s'engager dans une nouvelle relation amoureuse. Elle aime encore son mari et tient à conserver intact son souvenir.

Mais l'amour lui manque. Elle a comme tout le monde un grand besoin de tendresse.

Même si tous ses amis la croient parfaitement heureuse, il y a un vide dans sa vie. Et elle a besoin de le combler pour que sa paix intérieure, son équilibre, soient complets. Elle doit faire quelque chose pour autrui : elle aidait, elle donnait parfois, mais dans une relation de voisinage, d'amitié... Cette fois, elle souhaite le faire sans rien attendre en retour.

Lorsque Yves vivait, elle réalisait ce désir par toutes les petites attentions qu'elle avait pour lui. Mais maintenant, cette aspiration, si nécessaire à sa réalisation comme être humain satisfait de sa vie, ne trouve plus de forme pour s'exprimer.

C'est alors qu'Évelyne fait la connaissance du docteur Marotte...

De fil en aiguille, elle en vient à connaître la maison St-Marc et Dominique, qu'elle visite de temps à autre, un peu par pitié au début pour, en fin de compte, se laisser gagner par un attachement sincère... Une amitié tranquille et reposante.

Dominique et Évelyne se rencontrent maintenant une ou deux fois par semaine et se téléphonent presque tous les jours. (Dominique a fait installer un appareil dans sa chambre.) À son contact, Évelyne s'enrichit en découvrant des aspects de sa personnalité inconnus jusque-là. Et de semaine en semaine, elle voit son amie devenir plus joyeuse, plus ouverte. Ainsi le partage est équitable. Toutes deux profitent de leur relation.

*

*   *

Évelyne sort de la maison, monte dans sa petite Honda bleue et prend la direction de la maison St-Marc. On est mardi, jour où elle visite habituellement Dominique.

Elle arrive bientôt devant l'imposante structure de la maison qui domine les constructions avoisinantes, pour la plupart de grosses résidences cossues, propriétés de notables de la ville.

Près de l'entrée principale de l'établissement, deux ouvriers s'affairent à quelques travaux, surveillés par Tom qui fait mine de balayer les grandes marches de marbre... Ce cher vieux Tom qu'Évelyne a connu lors de sa première visite ici et qui l'accueille maintenant avec un grand sourire.

Il fait beau en ce début d'après-midi ; la pluie a cessé quelques heures plus tôt, rendant l'herbe brillante de gouttelettes.

Évelyne songe qu'il serait agréable d'aller faire une promenade avec Dominique.

Elle monte, salue Tom qui interrompt son travail, et pénètre à l'intérieur de la résidence puis s'avance vers l'escalier central. Soudain, une voix, à gauche, l'interpelle.

— Tiens, docteur Marotte. Comment allez-vous?

— Très bien, madame Laplante. Et vous?

— Oh! moi vous savez, ça va toujours merveilleusement bien.

Elle pose le pied sur la première marche.

— Dominique est-elle là-haut?

— Je n'en sais rien. Elle ne doit pas être loin. Mais si vous permettez, madame, j'aimerais vous dire quelques mots avant que vous ne montiez. Pourriez-vous venir à mon bureau, si ça ne vous dérange pas trop?

— Bien sûr, fait-elle en se retournant complètement vers lui. Mais vous m'intriguez, docteur. Y a-t-il quelque chose qui ne va pas?

— Non, non, rassurez-vous. Bien au contraire.

Il s'incline très légèrement en l'invitant de la main à entrer dans son cabinet puis prend place derrière sa table de travail encombrée de livres, de dossiers et de documents de toutes sortes. Devant le regard inquiet d'Évelyne, il se hâte de conclure.

— Oui, c'est vraiment le contraire... Je crois que vous serez heureuse d'entendre l'excellente nouvelle que j'ai à vous confier... car je sais à quel point Dominique vous tient à cœur.

Le sourire ne quitte plus ses lèvres. Il résume à l'intention de la bénévole les propos échangés la veille dans cette même pièce en insistant principalement sur les conclusions des spécialistes.

— Nous pensons que Dominique devrait quitter la maison. Tout n'est pas définitif, poursuit Marotte, il reste quelques détails, voire quelques problèmes à régler, mais nous comptons bien le faire bientôt. D'ailleurs, je suis fort optimiste quant au succès de nos prochaines démarches. Toutefois, pour les mener à bien, nous aurons besoin de votre collaboration, madame Laplante.

— Docteur, je ferai tout ce qui est possible pour vous faciliter la tâche. Je suis tellement heureuse de votre décision.

Elle s'est souvent demandé depuis qu'elle connaît Dominique, comment cette jeune femme a réussi à survivre dans l'univers restreint qui est le sien. Et puis, peu à peu, en s'interrogeant de la sorte, elle élabore le projet, jugé ridicule au début, qu'un jour Dominique vivrait avec elle. Elle n'en a soufflé mot à personne, par crainte qu'on la croie un peu folle d'avoir de telles idées.

Et brusquement, ce médecin, devant elle, lui dit qu'elle a toujours eu raison, que son idée n'est pas si utopique après tout.

Évelyne hésite quelques secondes en se mordillant la lèvre inférieure.

— Je vous dirai même, docteur, que si le départ de Dominique se concrétise, j'aimerais que ce soit chez moi qu'elle vienne vivre... Si vous jugez cela possible, bien sûr...

— Je pense que ça ne causerait pas de difficultés, madame Laplante... En attendant, j'aimerais que vous obteniez les impressions de Dominique sur ce projet. Allez-y doucement toutefois. Il ne s'agit pas de lui mettre la puce à l'oreille. Recueillez ses sentiments subtilement.

— Je reviendrai dès que possible vous donner ces renseignements, docteur. Plus cette affaire se réglera vite, mieux ce sera pour Dominique et pour moi aussi.

Marotte se lève doucement.

— Je vous remercie infiniment de votre aide, madame Laplante. Je ne vous retiendrai pas plus longtemps. Allez voir Dominique, maintenant.

Il lui ouvre la porte.

— À bientôt.

Évelyne sort du bureau et se dirige précipitamment vers l'escalier. Comment fera-t-elle pour cacher son bonheur à Dominique ? Elle est si absorbée par cette crainte de dévoiler le secret qu'elle arrive devant la septième porte sans s'en rendre compte. Dominique l'attend impatiemment. Elle a vu son auto dans la cour. Maintenant, elle entend le piétinement dans le couloir. Elle ouvre la porte avant même qu'Évelyne y ait frappé.

Et son amie est là, devant elle. Bien qu'elle soit encore parfois saisie de doutes, Évelyne est vraiment son amie, sa seule amie. Elle se sent unie à elle par un sentiment profond et sincère. Elle est la seule personne à qui elle se confiera un jour. Pour l'instant, elle en est encore incapable. Malgré toute sa bonne volonté, c'est au-dessus de ses forces.

Dominique se sent subitement revivre. Évelyne lui sourit, rayonnante.

— Bonjour Dominique.

— Bonjour Évelyne.

Les deux femmes s'embrassent.

— Que je suis heureuse de te voir ! Tu vas bien ?

— Oui, je suis en pleine forme... mais quand tu es là, je vais encore mieux.

La jeune femme a toujours tutoyé sa compagne malgré la différence d'âge entre elles, mais Évelyne apprécie cette attitude. Elle est ainsi sur un pied d'égalité avec elle. Les comportements, les propos de Dominique ne tiennent pas compte de stupides considérations sociales ; son cœur guide sa conduite, fait d'elle la femme vraie, unique, qu'elle aime tant.

Toutes deux rient de bonheur en se regardant dans les yeux. Il y a dans l'air un tel climat d'amitié, d'amour presque.

Cela fait songer Évelyne à ses premiers rendez-vous avec Yves. Ils se laissaient alors porter tous deux par le bonheur du moment, évitant même de parler afin de ne pas rompre le charme que l'amour tissait autour d'eux.

Bien entendu elle n'aime pas Dominique de la même façon... Jamais plus elle n'aimera comme ça. Il s'agit plutôt d'un amour lui rappelant celui qu'elle porte à ses fils. Peut-être chérit-elle en Dominique la fille qu'elle a tant désirée ? Peut-être est-ce autre chose ? Mais cela n'est pas très important. Elle évite les questions qui, répète-t-elle souvent, « font en sorte que la vie paraît plus compliquée qu'elle ne l'est en réalité. »

— Dominique, que dirais-tu si nous allions faire une grande balade toutes les deux ? Nous pourrions nous évader tout l'après-midi.

— Oh oui ! comme ce serait plaisant, répond-elle, ravie. Elle se frappe dans les mains avec un enthousiasme enfantin.

Évelyne saisit le combiné et demande à la secrétaire-standardiste de lui passer le docteur Marotte. Après quelques secondes, il est au bout du fil.

— Docteur, c'est Évelyne. Dominique et moi irions nous promener en ville, si vous n'aviez pas d'objection...

— Ça ne pose aucun problème, madame Laplante, amusez-vous bien.

Bientôt, elles n'auraient plus de permissions à demander.

Quelques minutes plus tard, elles montent dans la Honda d'Évelyne qui démarre en direction des Plaines d'Abraham. Celle-ci stationne dans une ruelle à l'extrémité de l'immense espace vert.

Tout l'environnement des Plaines baigne dans trois couleurs dominantes : le bleu du ciel de ce début d'été où planent des goélands, le gris du fleuve St-Laurent et le vert des feuilles nouvelles des bosquets peuplés de merles, de mainates et même parfois d'écureuils.

En face d'Évelyne et de Dominique, de l'autre côté du fleuve, la Rive Sud étale ses villes aux habitations plates d'où émerge çà et là la pointe d'un clocher. En contrebas, les traversiers sont à quai, attendant leur lot de passagers pour prendre le large.

Les Plaines sont moins achalandées que pendant les fins de semaine. On s'y sent à l'aise. Rien ni personne ne bouscule les promeneurs. Là, un père joue au ballon avec ses enfants. Ici, quelques familles ont étendu des couvertures sur l'herbe afin d'y pique-niquer ; les parents sirotent leur café tandis que leurs jeunes courent aux alentours en riant et criant.

Plus loin, des jeunes filles offrent leurs belles jambes élancées aux premiers chauds rayons de cette fin de mai. Les cheveux rejetés vers l'arrière, elles présentent au soleil la plus grande partie possible de leur corps souple et mince.

À l'ombre des buissons, des couples d'amoureux s'allongent sur la pelouse pour s'embrasser avec passion. D'autres se promènent, enlacés l'un à l'autre par la taille, étrangers, semble-t-il, aux beautés côtoyées.

Dominique ne sait plus où regarder. Tout est si magnifique, vivant. Elle croit pouvoir rester ainsi, attentive au moindre événement se produisant dans cet univers sans s'y fatiguer pendant des heures et des heures. Elle a tant besoin de sensations nouvelles. Cette vie qui bat sous ses yeux a pour elle quelque chose de surnaturel, d'hors d'atteinte et pourtant, elle sait que c'est la réalité qui s'anime ici. C'est sa vie à la maison qui est artificielle. Jamais elle ne pourra vivre comme ces passants qu'elle envie tant, jamais elle ne pourra jouir de l'espace, du temps, de la nature, de la vie quoi... Elle doit se contenter d'être heureuse par personne interposée, heureuse de lire le bonheur dans les yeux arrondis d'un bambin, dans ceux des amoureux omniprésents. Même la joie ressentie à être avec Évelyne lui paraît fade à côté de ce que doit être celle des gens se promenant près d'elle !

Les deux femmes marchent longtemps tout près l'une de l'autre, se touchant parfois du coude, se regardant souvent, souriantes. Elles dépassent la Citadelle et descendent les centaines de marches conduisant, beaucoup plus loin, à la Terrasse, dominée par le Château.

Dominique, étourdie, lève son regard vers les hautes tourelles de l'hôtel, puis se rend jusqu'à la rampe séparant la terrasse de la falaise, marche ensuite sans but pour s'imprégner de tout ce que ses yeux lui offrent.

— Dominique, que dirais-tu d'une glace à la vanille ?

— Oh oui ! ce serait bien.

Elle a l'air absente mais épanouie. Ce n'est plus la Dominique vivant derrière des murs.

— Tu aimes cet endroit ?

— C'est superbe.

Elle tourne sur elle-même, faisant voler les pans de sa robe. Elles achètent leurs crèmes glacées dans un petit kiosque près de là.

— Je suis si contente d'être ici avec toi.

— Dominique, demande Évelyne en entraînant sa compagne vers un banc près duquel roucoulent des pigeons, tu n'as pas parfois le sentiment que ta place n'est plus à la maison ? Enfin, je veux dire... tu as l'air tellement plus heureuse et détendue à l'extérieur.

Elle craint un instant d'être allée trop loin. Les mots lui manquent pour l'interroger avec tact.

— Vois-tu Évelyne, j'aime bien la ville, la campagne et par-dessus tout être avec toi, mais dès que je sors de la maison, tout me fait un peu peur, peux-tu comprendre cela ?

Sans attendre de réponse, elle enchaîne.

— J'ai l'impression que je ne m'habituerais jamais tout à fait à cette vie.

Elle assortit sa phrase d'un geste large de la main, désignant tout son environnement.

Dominique s'est attachée à sa misère, songe Évelyne.

— Les gens surtout me font peur. Je ne peux savoir s'ils sont bons ou mauvais, je n'ai aucun point de référence pour les juger, personne ne m'a jamais appris comment le faire.

— Mais si quelqu'un te l'enseigne, se tient constamment près de toi pour t'aider, crois-tu que ces peurs puissent disparaître ?

— Je n'en sais rien. Je devine que la maison n'est pas le milieu idéal pour une fille de trente ans, mais justement, je ne suis pas comme les filles de mon âge.

— Et en plus, continue Dominique, comment saurais-je si je peux faire confiance à la personne chargée de me protéger ? Non vraiment, je...

— Mais moi, l'interrompt Évelyne, tu as confiance en moi, tu sais que je désire ton bien, que je t'aime bien, n'est-ce pas?

Dominique laisse éclater son rire cristallin.

— Oh! voyons Évelyne, toi ce n'est pas pareil, tu es mon amie. Et tu es si gentille avec moi. Comment pourrais-tu me vouloir du mal?

Évelyne rit aussi. Sans le savoir, Dominique vient de lui faire tellement plaisir. Elle pourra faire au docteur Marotte un rapport très favorable sur la sortie prochaine de la jeune femme. Mettant tendrement sa main contre la nuque de son amie, elle l'approche d'elle doucement, collant son front contre le sien, chaud, humide, toujours en riant. Des larmes d'émotion montent à ses yeux.

— Dominique, ma petite Dominique, je suis si heureuse. Tu ne peux t'imaginer quel bien tu me fais, quel besoin tu combles en moi. J'espère qu'un jour tu pourras comprendre. Je ne te remercierai jamais assez d'être là, d'être toi.

— Si tu me l'expliques, je comprendrai sans doute.

— C'est que ça ne s'explique pas avec des mots. Il faudra plutôt que tu écoutes mon cœur te parler.

Reprenant leur promenade, elles descendent jusqu'à la Place Royale par une série d'escaliers tortueux atterrissant au pied du cap. Elles font le tour de petites rues, s'arrêtent dans quelques boutiques de souvenirs, bavardent gaiement au milieu des passants que l'heure du repas rappelle chez eux.

Dominique et Évelyne se sont aventurées si loin de leur point de départ qu'elles manquent de courage pour y revenir à pied. Évelyne hèle donc un taxi qui les y reconduit. Comme la faim commence à les tenailler, celle-ci amène Dominique souper chez elle. Après tout, la jeune femme doit prendre contact avec sa future résidence le plus rapidement possible.

Un peu plus tard, elle va reconduire Dominique à la maison, sous les lumières de la ville qui créent partout des ombres suspectes.

— Tu reviendras bientôt?

— C'est sûr, très bientôt... Je te le promets.

— La journée a été extraordinaire, Évelyne. Merci beaucoup.

— Tu en connaîtras de plus belles encore dans bien peu de temps.

Se penchant, elle embrasse Dominique plus tendrement que ses parents ne l'ont jamais fait.

$$*$$
$$*\qquad*$$

Évelyne se lève à huit heures précises, fait la navette à quelques reprises entre sa chambre et la salle de bain. Puis, elle gagne la cuisine où elle avale un déjeuner léger composé de rôties et d'un café.

Vers neuf heures, après avoir téléphoné à ses deux garçons pour leur faire part de son intention, elle arrive à la maison, habillée avec recherche, afin de rencontrer le docteur Marotte.

Elle résume pour lui l'échange qu'elle a eu la veille avec Dominique tout en minimisant quelque peu l'appréhension que cette dernière a avouée.

— Ma chère madame Laplante, dit le psychiatre, lorsqu'elle termine, je suis fort satisfait de ce que vous me racontez là. J'espère d'ailleurs pouvoir à nouveau compter sur votre colla-boration car même lorsque Dominique sera chez vous, elle sera encore sous ma responsabilité pendant un certain temps...

— Ainsi, il est possible d'engager le processus qui rendra Dominique à la vie normale. Ça prendra un certain temps, mais nous y arriverons.

Évelyne semble déçue.

— La préparation pourra durer quelques semaines, voire quelques mois, mais nous devons mettre toutes les chances de notre côté. Je vous assure qu'il est important pour notre amie que tout se fasse étape par étape, sans rien brusquer...

— Docteur, vous avez dit... mettre toutes les chances de notre côté, ne vouliez-vous pas plutôt dire de son côté ?

Le psychiatre sourit.

— Bien sûr... de son côté. Vraiment, madame Laplante, je doute fort que nous ayons un jour à nous reprocher de vous avoir confié Dominique.

VI

Claude Marotte est retenu toute la semaine à l'extérieur de la ville. Il ne peut donc rencontrer Dominique que le vendredi.

Leur tête-à-tête ne dure que quelques minutes. Il s'efforce d'aller droit au but. Il ne veut pas faire languir sa cliente, assise toute droite, menue, au fond du fauteuil de cuir qui lui fait face, une petite mèche rebelle retombant sur son front blanc.

Celle-ci passe, au cours de la rencontre, par toute une gamme d'émotions vives, positives ou négatives. Elle rit nerveusement et pleure, mélange parfois ces deux manifestations de ses états d'esprit. Et le spectacle est pour le moins touchant. C'est quand le psychiatre lui apprend qu'elle ira désormais vivre chez son amie Évelyne que sa joie déborde. Incapable de demeurer calme, elle se lève et arpente la pièce. Oh! elle a tellement envie de sauter au cou du docteur Marotte...

L'exubérance de Dominique remplit Marotte de fierté. Il est si rare dans sa profession de rendre quelqu'un heureux. C'est dans des circonstances comme celles-ci qu'il considère que son travail est le plus beau du monde. L'exaltation de

Dominique vaut bien, à elle seule, les pénibles et longues années d'études auxquelles il a consacré sa vingtaine.

La jeune femme se calme enfin. Elle a tant de questions à poser sur son départ et sa vie future. Marotte y répond sans se lasser. Dominique doit avoir confiance en elle, en ses propres moyens et, pour cela, il faut l'informer de tout ce que comporte l'événement. Elle doit être la première consultée sur chaque point la concernant afin d'éviter toute surprise susceptible d'être mal interprétée.

— Docteur, puis-je annoncer cette grande nouvelle à tous les pensionnaires ?

— Je préférerais que tu patientes un peu, Dominique. Vois-tu...

Devinant les pensées du médecin, elle l'interrompt d'une voix inquiète.

— Et mes parents, qu'en pensent-ils ?

Elle n'a pas à attendre une réponse de Marotte ; son regard en dit assez long pour permettre à Dominique de comprendre que tout ne va pas pour le mieux de ce côté.

— Qu'y a-t-il, docteur ?

— Ils ne sont pas encore au courant. Il fallait bien que je te prévienne auparavant... D'ailleurs, je ne crois pas qu'ils soient en accord avec nos projets. Et toi ?

La jeune femme ne répond rien.

Marotte continue.

— De toute manière, tu ne dois pas t'inquiéter de ce qu'ils pensent. Si tu veux quitter, tu quitteras. Nous avons parfaitement le droit d'agir comme nous l'entendons puisque tu es majeure. Tu es la seule qui puisse s'opposer à cette sortie, mais je crois comprendre à te regarder sourire qu'au contraire, elle te fait beaucoup plaisir.

— Nous rencontrerons tes parents très bientôt. Tu seras donc fixée quant à leur opinion. Peut-être, je l'espère de tout mon cœur, seront-ils d'accord avec nous.

Il attend quelques secondes, au cas où Dominique ajouterait quelque chose là-dessus.

— De toute façon, je serai avec toi à chaque fois qu'ils viendront te visiter d'ici ton départ.

— Quand est-ce que je pars, docteur ? Dites-moi quand ? Je suis bien ici mais...

Marotte se met à rire.

— Tu n'as pas à excuser ta hâte. Elle est bien naturelle. Je ne serai pas fâché même si tu cries ta joie de quitter la maison. En fait, je n'ai pas encore déterminé de date précise. Mais sois tranquille, tu seras vite prévenue.

Dominique regarde par-dessus l'épaule du médecin. Derrière la fenêtre, des adultes, des enfants, se promènent sur le trottoir. Un bambin joue à l'acrobate sur le muret de maçonnerie qui borde le terrain de la maison.

— C'est tellement difficile à croire. Bientôt je serai libre, comme ces gens.

Dominique se sent dépassée par la situation. Tout va trop vite pour elle. Au fil des ans, elle en est venue à la conclusion qu'elle ne quittera jamais cette habitation ; comme Adolphe, elle y finira ses jours. Et voilà maintenant qu'on lui ouvre toute grande la porte, qu'on la pousse tendrement en guidant ses pas. Le défi est si grand qu'elle craint de trébucher.

Elle rit timidement et croise les mains juste sous son menton, se donnant ainsi un air juvénile.

— Je suis si heureuse et en même temps si bouleversée. J'ai l'impression de rêver.

— Et pourtant non, tu ne rêves pas. C'est bien vrai. Tu vas partir pour faire ta vie. Tu nous manqueras beaucoup, tu sais. Tout le monde ici t'aime bien.

Subitement, elle pense à Évelyne. Elle a si bien caché ce merveilleux secret. Certaines de ses paroles prennent tout leur sens. Ah ! ce qu'elle a hâte de la voir.

— Quelle heure est-il ? Évelyne ne devrait plus tarder.

Marotte consulte sa montre.

— Non, elle ne tardera pas.

Il se lève, contourne son bureau et se dirige vers sa patiente.

— Viens, dit-il en l'aidant de la main. Tu as juste le temps de passer à la salle à manger et elle sera là.

— Et n'oublie pas, Dominique. Ne t'inquiète pas. Tes parents finiront par se rendre à l'évidence que nous faisons tout pour ton bien. Ils seront les premiers satisfaits de notre décision. Pourquoi en serait-il autrement ? Tous les parents du monde ont un point faible, le bien-être de leurs enfants.

Au fond, il n'a aucunement confiance de raisonner les Boily... À moins, pense-t-il en souriant, que l'abbé Bolduc, qui lui a promis son aide, ait un diplôme de thaumaturge dans ses bagages.

Bien sûr tous les parents souhaitent le bonheur de leur fils ou de leur fille, mais il a l'impression que ceux de Dominique échappent mystérieusement à cette règle.

*
*   *

Le téléphone sonne à trois reprises avant qu'on y réponde. Puis Claude Marotte reconnaît sans peine la voix de Philippe Boily.

— Bonjour monsieur Boily. Ici le docteur Marotte. Comment allez-vous ?

Il s'efforce de paraître calme bien que le seul fait de parler à cet homme antipathique l'indispose.

La réponse de son interlocuteur prend quelques secondes à venir.

— Bien, bien. Et vous ?

— Moi également.

Il marque une pause.

— Je vais entrer dans le vif du sujet, monsieur Boily. Ainsi, nous économiserons tous deux un temps précieux... J'aimerais vous rencontrer ainsi que votre épouse, en compagnie d'un autre spécialiste de la maison. C'est dans l'intérêt de votre fille.

Puis, sans permettre au père de Dominique de poser des questions, il enchaîne :

— Êtes-vous libre lundi en après-midi, disons euh !... (il consulte son agenda) vers 13 heures ?

— Oui, ça ira.

Boily semble inquiet.

— Mais docteur, c'est... à quel sujet ?

Il est délicat de répondre à cette question. Il doit demeurer assez vague pour ne pas les énerver et à la fois assez précis pour ne pas leur rendre invivables les jours les séparant de la date de la rencontre. Ils arriveraient alors au rendez-vous le caractère à pic, les nerfs à vif, donc dans de très mauvaises dispositions.

— Eh bien ! c'est simple, monsieur Boily. Nous avons quelques projets pour nos pensionnaires dont un concernant Dominique. Je veux vous en parler. Tout cela est trop complexe pour être discuté au téléphone, c'est pourquoi je préfère attendre à lundi pour vous dévoiler les détails...

Philippe hésite.

— Bon, c'est d'accord, docteur. Nous serons là. Au revoir.

L'entretien laisse le psychiatre perplexe. Le père de Dominique est demeuré trop calme, trop serein, malgré quelques hésitations, pour qu'il puisse obtenir quelque indice sur la façon dont se déroulerait la rencontre. Lui qui est du genre à accrocher un miroir derrière l'adversaire lorsqu'il joue aux cartes, devrait cette fois jouer à l'aveuglette. Décidément, Philippe Boily est l'homme le plus imperméable qu'il ait rencontré. Il ne laisse rien paraître. Une vraie statue, pense le médecin.

Philippe et Yolande Boily arrivent le lundi suivant à l'heure convenue et sont immédiatement introduits dans le bureau du docteur Marotte. Celui-ci et l'abbé Bolduc tentaient, depuis quelques minutes, d'analyser la meilleure attitude à prendre avec le couple.

Comme prévu, la rencontre est longue et pénible. Malgré une argumentation logique, malgré les propos réconfortants de l'homme d'église, que les Boily traitent pourtant avec vénération, il n'est pas possible d'ébranler leur mauvaise volonté.

Tous deux sont victimes, à l'œil exercé du psychiatre, d'un blocage encore indéfini. Les mots prononcés du bout des lèvres, les phrases laissées en suspens, tout chez eux témoigne d'une crainte, d'un mystère.

La conversation devient vite frustrante et l'intérêt de Marotte diminue rapidement. Les parents de Dominique n'accepteront jamais de lui donner gain de cause.

Pour la première fois, il note à quel point le langage des yeux est développé entre Philippe et Yolande Boily. Ils se regardent très souvent en parlant, presque entre chaque phrase.

On voit dans leurs regards une lueur se modifiant de seconde en seconde, au gré des mots et de leur intensité. Que signifie ce dernier voile ? se demande Marotte. Fais attention, n'en dis pas trop ? et celui-ci, chargé de compassion : ne t'en fais pas, je suis là, près de toi ?

Les parents se montrent en total désaccord avec une éventuelle sortie de l'institution pour leur fille. Philippe Boily l'exprime clairement, à maintes reprises durant l'après-midi, par des paroles acerbes. Cela lui semble même invraisemblable qu'on émette une telle idée.

Le ton du dialogue, resté jusque-là relativement calme, s'élève brusquement lorsque Marotte souligne aux Boily qu'étant donné l'âge de leur fille, il revient à elle seule, à toutes fins pratiques, de trancher le débat.

— Or, ajoute-t-il, Dominique est particulièrement heureuse d'aller vivre hors de ces murs.

Ses mains tracent un vague cercle devant lui.

— Je dois même vous prévenir qu'il ne serait pas dans son intérêt que vous lui mentionniez vos réticences. De toute façon, soyez assurés que je les lui rapporterai avec beaucoup de tact.

Un éclair passe dans le regard de Philippe Boily, mais il encaisse le coup sans s'emporter.

— Sans cela, Dominique pourra être blessée profondément, peut-être même d'une façon irréparable.

— Si on peut la blesser pour si peu, docteur, c'est, à mon avis, qu'elle est trop fragile pour quitter la maison. Dans ce cas, je comprends mal votre attitude... Sachez également que j'irai devant les tribunaux, s'il le faut, pour faire valoir mes droits. Et je soutiendrai que c'est vous, et vous seul, qui mettez en danger le faible équilibre de ma fille.

Il énonce ces phrases sans reprendre son souffle comme si elles lui avaient brûlé les lèvres. Maintenant, il suffoque. Son visage prend une coloration rougeâtre. Yolande dépose délicatement sa main sur son bras.

— Vous savez, dit l'abbé Bolduc, avec une assurance que Marotte lui envie, que le fait de démontrer un tel entêtement est presque contraire aux principes de charité chrétienne que vous dites pourtant pratiquer... Et en plus, cela nuit au climat d'entente que nécessite l'état de Dominique.

Puis, continuant sur le même ton, comme s'il prêchait du haut d'une chaire :

— De grâce, monsieur et madame Boily, prenez mes paroles au sérieux. Je ne crois pas nécessaire de vous rappeler la place occupée par la charité dans la doctrine et la foi catholiques. Sans elle, nul ne peut se prétendre en paix avec lui-même, et avec Dieu. Aucun geste, aucune dévotion particulière ne peut la remplacer... Je vous demande donc de reconsidérer votre façon de voir les choses... Oh! je ne vous demande pas de devenir subitement d'accord avec nos idées mais plutôt de ne pas les juger... C'est très important ; ne pas juger... afin d'éviter un jour d'avoir à vous en repentir.

Le prêtre et le psychiatre restent assis sans parler de longues minutes après le départ du couple. Résonnent encore aux oreilles des deux hommes les propos aigres-doux qui ont été échangés au cours de cette rencontre.

— Croyez-vous vraiment que votre message passera, mon père ? fait enfin Marotte.

— Tout est possible, docteur. Les cœurs les plus endurcis ont tous une faille. Il s'agit de la découvrir et d'y introduire les bonnes paroles.

— Et vous croyez l'avoir trouvée ?

Le prêtre lève sur lui des yeux agrandis, en forme de point d'interrogation.

— Je ne sais pas. L'avenir nous renseignera bientôt, ne croyez-vous pas ?

*

*   *

L'entretien avec les Boily se termine assez tard. Ce n'est que le lendemain après-midi que Claude Marotte rencontre Dominique dans sa chambre.

— Ça y est, Dominique. Tu peux annoncer la bonne nouvelle à tous.

Elle a eu tant de mal à garder le secret, s'imaginant à l'occasion trahie par le sourire qui ne la quitte plus.

— Quant à tes parents... Que veux-tu que je te dise ? Ils ne sont pas d'accord pour l'instant. Ils devront vivre avec notre décision, ta décision.

Mais la jeune femme n'écoute plus.

— Vous avez dit que je peux... Elle s'arrête, trop énervée pour continuer.

Plantant là le psychiatre, elle sort précipitamment de sa chambre, on aurait dit qu'elle avait des ailes, et tombe sur Pierre qui arpente le corridor de ses longues jambes, vers Dieu sait quels lieux. Elle saute presque sur le pensionnaire.

— Dominique, qu'est-ce que... ?

— Je sors, crie-t-elle, surexcitée. Comprends-tu, je m'en vais pour toujours ?

Marotte la regarde courir depuis le seuil de la chambre. Lui aussi se sent gagné par la joie communicative de sa cliente.

Mais cette nouvelle ne produit pas l'effet escompté chez Pierre. Il répond d'une voix neutre, vide d'émotion.

— Ah oui ! Tu sors Dominique ? Je suis content pour toi !

Elle s'en sépare vite. Comment peut-on demeurer apathique dans une telle situation ?

Par-dessus son épaule, elle aperçoit la silhouette de Tom O'Farrell qui arrive au haut de l'escalier. Elle se jette sur lui.

— Tom, je m'en vais, je pars vivre chez Évelyne.

Elle élève ses bras pour le tenir par les épaules, comme pour le forcer à ne rien perdre de ses paroles. Devant ses yeux qui s'arrondissent, elle répète sa phrase.

Tom saisit la jeune femme par la taille et la lève à bout de bras comme un enfant.

— Ce n'est pas vrai. Tu me racontes une blague, fait-il, en riant.

Du coin de l'œil, il voit le docteur Marotte qui se dirige vers eux, plus souriant qu'à l'accoutumée. Il comprend alors que sa compagne dit vrai.

Tom pousse un grand rire bruyant. Il la fait tournoyer autour de lui dans un ballet qui n'a rien de gracieux mais qui n'en demeure pas moins le plus émouvant que Jeanne, qui gravit les marches dans leur direction, ait vu de toute sa vie.

Elle s'approche du couple tandis que ses yeux mouillés de larmes brillent sous ses verres.

— Bravo Dominique. Nous sommes toutes si heureuses pour toi. Tu mérites tant ce qui t'arrive.

Tom continue à hurler des mots sans suite et à rire à gorge déployée, la tête renversée vers l'arrière. Plusieurs pensionnaires arrivent.

Jeanne laisse Dominique festoyer avec ses camarades et se dirige vers le psychiatre, resté en retrait à quelques pas du joyeux groupe. Elle l'embrasse vitement sur une joue.

— Merci, docteur, pour Dominique. Vous êtes vraiment chic.

— Remerciez plutôt l'abbé Bolduc.

Mais déjà la jeune infirmière n'est plus là. Le tourbillon déclenché par le grand Irlandais l'a absorbée.

D'autres pensionnaires se joignent au groupe compact, criant et gesticulant. Certains veulent toucher Dominique qui pleure de joie, d'autres l'embrasser ou encore lui souhaiter le plus de succès possible dans sa nouvelle vie. Même le vieux portier, en contrebas, habituellement austère et rigide, regarde vers eux en sautillant, arborant un grand sourire édenté.

Sortir de ces murs, aller ou retourner vivre dans la société est pour plusieurs un but ultime, un rêve inaccessible revenant nuit après nuit. Chez d'autres, ce mirage s'est dissipé avec le temps, faisant place à un avenir plat et terne.

En très peu de temps, toute la population de la maison est prévenue du départ futur de Dominique. La nouvelle se répand comme une traînée de poudre et la joie se manifeste partout par des cris, des chants. La jeune femme regrette que Jean ne soit pas là pour célébrer avec elle, avec tous les autres... Tant pis, elle lui apprendra la nouvelle plus tard, à son arrivée.

Dominique commence à se sentir embarrassée dans son rôle de centre d'attraction. Elle se dit lasse et prétexte un vague mal de tête pour se retirer dans sa chambre. Là, elle se rafraîchit à même son petit lavabo et se recoiffe devant la glace. Puis, avisant les rayons de soleil qui se profilent entre les érables, elle sort pour se promener lentement dans ces allées verdoyantes qui, bientôt, ne feront plus partie de sa vie. Elle rêvasse, regarde la construction centenaire qui l'abrite depuis tant d'années, si belle, si majestueuse. Tout compte fait, elle doit s'avouer y être plus attachée qu'elle n'a voulu le croire.

L'éventualité de quitter ses amis, sa véritable famille, Jean en particulier, lui fait un pincement au cœur. Jean... Sans l'oublier tout à fait, elle n'a pas beaucoup songé à lui depuis que le docteur Marotte lui a annoncé son départ. Elle ne lui a même presque plus parlé depuis lors, de peur de ne pouvoir taire son secret. Maintenant, elle a si hâte de le lui révéler. Qu'il en sera heureux! Il faut qu'elle le voie, aujourd'hui, sans faute.

Dominique enjambe une petite haie épineuse pour regagner la maison rapidement. Dans le ciel s'amoncellent des nuages semblables à de gros moutons. Elle frissonne sous son chemisier léger. Elle remonte à sa chambre, passe des vêtements pour lesquels Jean l'a déjà complimentée, puis redescend à la salle à manger. Il sera sûrement là.

En passant dans le hall d'entrée du rez-de-chaussée, elle croise le docteur Marotte.

— Oh! Dominique, fait-il gaiement en l'apercevant, tout à l'heure, tu ne m'as pas laissé terminer ce que j'avais à te dire... J'ai parlé ce matin à madame Laplante. Nous avons convenu que tu pourrais emménager vers le milieu d'août...

— Vers le milieu d'août, répète Dominique, incrédule. Mais docteur, ça n'a aucun sens. Je suis prête tout de suite. Pourquoi ce délai? C'est invraisemblable. Vous vous rendez compte?...

— Écoute, Dominique, tu es prête, c'est un fait. Je suis prêt moi aussi, mais pas Évelyne.

Sa cliente lève vers lui des yeux sceptiques.

— C'est moi qui le lui ai fait comprendre. Tu vois, tu vas changer sa vie du tout au tout... Alors il faut lui laisser un peu de temps pour se préparer à ta venue, organiser sa nouvelle vie. Nous ne devons rien brusquer pour elle. Tu comprends, Dominique?

Elle reste muette.

— Quand une femme attend un enfant, elle a neuf mois pour s'y faire, rassembler tout ce dont elle aura besoin matériellement, pour se préparer psychologiquement, dans sa tête, dans son cœur, à aimer ce nouvel être. C'est un peu la même chose qui arrive maintenant avec notre amie. D'ailleurs, n'as-tu pas le sentiment de renaître en nous quittant ? Vous avez toute la vie devant vous, Évelyne et toi...

— C'est sans doute vrai, docteur. Excusez-moi !

Son expression trahit néanmoins une certaine amertume.

— Va souper, reprend Marotte. Je dois partir. Nous en reparlerons bientôt.

*
* *

Dominique s'assoit tranquille, seule à une table ; elle ne tient pas à être le point de mire : quelque chose dans son subconscient lui suggère d'être calme et posée en présence de Jean. Même, si cela est possible, d'attendre d'être seule avec lui pour aborder le sujet de son départ. « Du reste, pense-t-elle, il aura peut-être été mis au courant de ce qui m'arrive par quelqu'un d'autre. »

VII

On est lundi, le 20 août, et le départ de Dominique est fixé au vendredi de cette même semaine. Cette date tardive a bien valu quelques subtils reproches à Marotte, mais il est néanmoins demeuré inflexible.

En fait, il trouve opportun d'être pleinement disponible pendant les semaines suivant l'intégration de Dominique chez Évelyne. Éventuellement, il aurait à réagir en prêtant main-forte à cette dernière.

Bien qu'il ne doute pas de la réussite du projet, il est conscient d'une infime possibilité que tout ne se déroule pas comme prévu. L'effet de ses années d'internement ne disparaîtra pas subitement, comme par magie. Son expérience lui a appris, quelquefois durement, à ne rien prendre pour acquis avec les psychiatrisés. Ils sont si vulnérables aux aléas et aux embûches que la vie sème devant eux avec malveillance ! Ainsi, malgré qu'il ait dû, à regret, indisposer les deux femmes, il avait tenu à suivre la voix de sa conscience professionnelle.

La proximité de l'échéance perturbe Dominique à un tel point qu'elle envisage un instant d'abandonner la partie. L'effervescence des semaines précédentes s'est changée en une véritable appréhension des événements à venir. Elle ne se reconnaît plus tout à fait.

Par son départ, elle briserait des habitudes de vie, des attaches solidement implantées en elle avec les gens et les choses. Dominique se rend vraiment compte, au cours de cette dernière semaine, de l'attachement ressenti à l'égard de ses compagnes et compagnons. Ils l'entourent depuis si longtemps. Les quitter la déchire. Vivre avec les mêmes personnes a toujours présenté pour elle un facteur de stabilité, un point de repère dans son quotidien.

Et que dire du personnel qui lui a toujours témoigné tant de sympathie, des médecins de l'institution, grandes sources d'estime pour elle ?

— Je ne manquerai pas de venir vous voir,... dit-elle en visitant tous les pensionnaires.

Dans son for intérieur, elle doute cependant de le faire. Quand je refermerai la porte, c'est sur mon passé que je le ferai, pense-t-elle souvent. Et je n'y reviendrai pas. J'aurais si peur de me réveiller dans ma chambre et que le beau rêve soit terminé.

Il ne reste que Jean qu'elle n'a pas rencontré en tête à tête après lui avoir annoncé la nouvelle de son départ. Il aurait sans doute des récriminations ; son changement d'attitude en faisait foi. L'a-t-elle blessé ? A-t-elle posé un acte répréhensible sans même s'en rendre compte ? Autant de questions qui la laissent confuse. Le fait de quitter Jean ainsi, sans savoir ce qu'il a contre elle, sans espoir de le revoir, la remplit de remords. Elle a l'impression de lui jouer un mauvais tour, de lui retirer sans raison son amitié.

Car elle sent bien que si elle apprécie Jean, ce sentiment est réciproque. Elle l'a lu dans ses yeux pleins de tendresse. Alors pourquoi semble-t-il s'en désintéresser maintenant ? Avant la nouvelle, il aimait sa compagnie, la recherchait même sous divers prétextes. Il ne manquait jamais une occasion de la rencontrer dans une certaine intimité, tard le soir à la cafétéria, devant une tisane, ou en promenade dans le jardin. Ils pouvaient se balader là des heures durant sans se lasser. Il la regardait alors avec affection, attentionné, d'une façon si différente des autres, de Tom, des médecins. Son regard était une caresse, songe-t-elle avec un très léger sourire.

Vraiment cette rupture avec sa vie présente serait pénible. Et en plus, elle ne saurait être totale si elle ne perçait pas le secret de l'infirmier.

Dominique constate qu'ironiquement, c'est lui qui détient la clef de son bonheur. Il peut la libérer ou l'enchaîner à jamais. Elle se demande parfois ce qu'elle souhaite vraiment. Ses sentiments deviennent de plus en plus ambigus. Elle se comprend si mal.

Plus le temps passe, plus l'émotivité affecte son contrôle. Son équilibre psychologique chancelle plus qu'à l'habitude, sa maîtrise de soi devient précaire. Elle ressemble à la jeune fille qu'elle était à son arrivée à la maison, il y a si longtemps.

Dominique, couchée sur son lit, déplace son oreiller et fixe son regard vers la fenêtre béante. Une chaleur incitant à une douce oisiveté pénètre dans la pièce. Elle se rappelle son arrivée d'Europe. Dans quel état dépressif elle était alors ! Une véritable ombre tremblante et ravagée par les médicaments, qui n'avait de forces que pour des révoltes intermittentes !

Elle avait fait un court séjour dans un hôpital puis s'était retrouvée à la maison St-Marc. Là, elle était entrée de plain-pied dans un monde si nouveau qu'il lui donnait le vertige.

Quels vertiges seront siens dans cette nouvelle vie qui s'amorce ? Son encadrement diminuerait encore, la laissant de plus en plus à elle-même.

La veille, Dominique a rêvé qu'elle est aveugle et qu'elle marche dans un champ où l'on a creusé des trous profonds. Le docteur Marotte lui explique que sa cécité symbolise sa méconnaissance de la vie et que les trous sont les pièges qu'elle est censée renfermer.

« Donc, complète le médecin, ces deux éléments s'enchaînent l'un à l'autre pour illustrer ta peur. Tu ne dois pas t'inquiéter. Ton subconscient l'apprivoise pour toi. »

Malgré tout, encore une fois, Dominique pense à remettre sa sortie. Puis elle songe à Évelyne qui, de toutes ses forces, de tout son cœur, a promis de l'aider. Ses craintes se dissipent quelque peu.

Sa tristesse fait naître en elle l'image fugitive de Rachel. Celle-ci vient à nouveau la hanter. Elle semble même la défier à travers les rougeurs flamboyantes qui dansent sur sa peau.

Dominique remue à nouveau, change de position et regarde les arbres à l'extérieur dont les branches fines ondoient au gré de la brise. Serait-ce enfin la fin des épreuves qui ont de tout temps marqué sa vie ? Comme c'est difficile à croire ! Son existence serait-elle désormais calme et sereine, comme une mer à l'étale, auprès d'une Évelyne invariablement aimable et maternelle ? Et personnellement, demeurerait-elle longtemps docile, vivant facilement un quotidien encore inconnu ? Ou se transformerait-elle en une vieille fille grincheuse ?

Toutes ces questions auxquelles seul l'avenir peut répondre la plongent dans un tumulte douloureux.

Mais, malgré tout, une joie sous-jacente à toutes ces peines se manifeste par moments et, lorsque Dominique se concentre bien, celle-ci redevient présente à son esprit. Elle en tire alors un espoir qui la porte quelques instants. Elle songe que ce n'est qu'un simple manque de courage qui lui donne envie de rester à la maison, de renoncer à cette vie nouvelle qui s'offre à elle avec la promesse d'un bonheur qu'elle n'a pas connu jusqu'alors.

Au fond, elle sait qu'elle doit quitter cet endroit. Elle sait aussi qu'elle en partira effectivement. Elle est déjà rendue trop loin, elle ne peut rebrousser chemin.

Et face à Jean, cette solution de rupture est peut-être préférable à un attachement qui n'aurait pas manqué de devenir gênant pour eux. Une malade s'amourachant de son infirmier, ça n'avait aucun sens. Elle n'a jamais vu ça avant.

De toute manière, pense Dominique, si le docteur Marotte m'annonçait : « Dominique, tu ne pars plus », j'aurais peine à m'en remettre. Le choc serait sans commune mesure avec ma nostalgie d'aujourd'hui.

Oui, songe-t-elle encore, je vais partir même si cela me fait très mal. Peut-être est-ce normal ? C'est comme si je revenais au monde, comme le disait le docteur Marotte.

*
*   *

C'est jeudi. Évelyne est à l'aube de sa dernière journée de liberté totale, mais ne profitera pas de celle-ci. Elle a promis à Dominique de l'aider à boucler ses valises. La veille, avant de s'endormir, elle s'est dit qu'il fallait amener sa jeune amie dans un centre commercial afin d'acheter tout ce dont elle aurait désormais besoin dans son nouveau chez-soi, son premier véritable chez-soi.

En faisant irruption pour l'avant-dernière fois dans le périmètre emmuré de la vaste propriété, Évelyne voit son amie qui accourt vers elle. De près, elle fait presque pitié : ses yeux sont rougis, entourés d'un halo vaguement bleuté, ses cheveux humides collent à son front, témoins de larmes encore récentes.

— Dominique, fait-elle, en l'attirant dans ses bras. Qu'est-ce qui t'arrive ? Tu as l'air si mal en point.

Sa voix n'est qu'un murmure.

La jeune femme appuie sa tête sur l'épaule d'Évelyne.

— J'ai très mal dormi cette nuit. Je pensais. J'avais peur...

Machinalement, Dominique conserve le même ton de confidence.

Les deux femmes marchent lentement vers la maison. Évelyne guide sa compagne en lui passant un bras derrière le dos.

— Tu aurais dû demander un tranquillisant, réplique-t-elle, en fronçant les sourcils, comme pour lui faire un reproche.

Alors qu'elles poursuivent leur route, un gros écureuil fuit devant elles vers les érables salutaires.

— Pour une dernière fois, ce soir, tu demanderas un somnifère à l'infirmière, d'accord? Demain, j'aurai besoin d'une compagne en pleine forme.

Dominique acquiesce, se rendant à l'évidence.

Elles montent à la chambre de la pensionnaire. Celle-ci se sent tellement mieux, tellement plus forte depuis l'arrivée de son amie.

Elle entasse ses vêtements dans les valises qu'Évelyne a apportées la semaine précédente. Puis, une demi-heure plus tard, toutes deux redescendent l'escalier pour s'engouffrer dans la Honda.

De gros nuages d'un gris menaçant sont apparus dans le ciel. Ils convergent les uns vers les autres à une vitesse qui ne présage rien de bon.

L'automobile roule lentement dans les rues de la capitale en direction des centres commerciaux. De temps à autre, lorsque la circulation le lui permet, Évelyne jette de brefs coups d'œil à sa passagère. Même si Dominique affiche une meilleure attitude en sa présence, elle la sent tendue, victime d'un malaise interne.

Dominique fixe la route devant elle sans rien dire, sans se tourner, l'air un peu las. Où est passée sa vivacité habituelle ? Est-ce la phase de transition qu'elle vit qui la paralyse ?

Évelyne juge que la situation se rétablira d'elle-même quelques jours après son déménagement. Peut-être est-il préférable pour l'instant de respecter son silence, de ne pas la brusquer ? Dominique n'a-t-elle pas à se prendre en main ?

Évelyne songe aux tâches qui l'attendent. Elle devra initier Dominique à l'autonomie comme elle l'a fait pour ses propres enfants. Et ça, elle devine que ce ne sera pas facile.

Elle allume la radio : l'animateur annonce de violents orages pour l'après-midi. Elles grimacent à l'unisson pour ensuite se regarder et pouffer de rire.

Cette manifestation de joie, bien qu'éphémère, sera la chose la plus agréable qu'Évelyne entendra ce jour-là. Car elle sera longtemps sans entendre à nouveau le rire en cascade de sa protégée.

*
*   *

Dominique et Évelyne passent plusieurs heures à déambuler de boutique en boutique, de magasin spécialisé en vaste magasin à rayons. Elles dînent sur les lieux dans un casse-croûte où l'on sert de la nourriture aux limites de l'acceptable. La jeune femme a rarement visité des établissements de ce genre ; aussi sa curiosité demeure-t-elle constamment en éveil. Elle s'arrête devant chaque étalage pour demander à Évelyne ce que sont mille produits inconnus.

Elles quittent le mail central trop achalandé et entrent dans un corridor perpendiculaire à celui-ci. Elles font quelques pas. Soudain, Dominique, en examinant la vitrine d'une petite boutique de jouets, tombe brusquement en arrêt, estomaquée, devant une poupée assise sur une pile de boîtes. Elle reste là, bouche bée, yeux exorbités, durant de longues secondes. Quelques paquets tombent de ses bras sans même qu'elle ne s'en rende compte.

Évelyne qui l'a devancée de peu, se retourne, n'entendant plus les pas de sa compagne. Elle comprend immédiatement que quelque chose ne va pas. Le regard immobile et convulsé de Dominique n'exprime plus la convoitise qu'elle y a lue précédemment. Ses yeux fixent l'endroit précis de l'étalage occupé par une vulgaire poupée.

— Dominique?

La jeune femme ne répond pas. Évelyne lui touche le coude et hausse le ton.

— Dominique, qu'est-ce qui se passe?

Elle lui serre résolument le bras. Cette fois elle crie presque.

— Dominique!

— Ce... ce n'est rien... Il me semble avoir déjà vu cette poupée quelque part... Je... Je ne sais pas.

Évelyne l'entraîne. Elle reprend sa marche la tête basse, l'air interrogatif. Son esprit est troublé.

Elle se retourne vers la vitrine, maintenant dépassée d'une dizaine de mètres. C'est alors qu'elle entre en collision avec une vieille dame, la renverse en laissant à nouveau choir ses paquets. Dominique se confond en excuses, sentant le peu de calme qu'elle a la fuir par tous les pores de sa peau. Évelyne aide la dame à se relever.

— Vous n'êtes pas blessée, madame? Nous sommes désolées de ce qui arrive...

La vieille pointe Dominique du doigt.

— Espèce de jeune écervelée, tu ne pourrais pas... Regardez vous autres, elle s'adresse aux passants, regardez ce qu'elle m'a fait.

Dominique a tellement honte. Elle ramasse en hâte ses sacs puis, tournant les talons, se dirige rapidement vers le mail. Elle sent les regards haineux de tant d'inconnus se poser sur elle, accusateurs. Et tout à coup, la poupée est là, encore à ses côtés, la regardant fixement de ses petits yeux froids et brillants. Dominique pousse un cri d'effroi et se met à courir sans but. Tout ce qu'elle désire c'est s'évader de cet endroit maudit.

— Arrête immédiatement, Dominique !

Évelyne la poursuit. Enfin, elle l'attrape par un bras puis se glisse à sa hauteur en la maintenant fermement pour l'obliger à ralentir. La jeune femme s'écroule contre sa poitrine.

— Je ne pourrai pas, je ne serai jamais comme toi, murmure Dominique, d'une voix congestionnée.

Elle se fait encore plus pesante dans les bras d'Évelyne et pleure de plus belle, silencieusement, incapable d'émettre le moindre son. Sa douleur semble si vive. Sa bouche ouverte sur une pitoyable grimace cherche de l'oxygène.

Évelyne lui tapote amicalement le dos.

— Allez, laisse-toi aller. Vide ton cœur de toutes ces craintes.

Elles quittent le centre commercial par une porte secondaire non loin d'où elles s'étaient arrêtées.

Curieusement, la pluie qui l'attend dehors, de grosses gouttes tièdes tombant dru, fait retrouver à Dominique, une part de sa lucidité. L'auto est garée à bonne distance de la sortie qu'elles empruntent ; Évelyne y court sous la pluie mais Dominique n'en fait rien. Elle avance lentement sous cette eau régénératrice, entre les files de véhicules rangés plus ou moins soigneusement. Puis, s'arrêtant et fermant les paupières, elle lui offre son visage entier en renversant la tête loin vers l'arrière. Son chemisier est déjà détrempé et elle sent l'eau couler entre ses seins, le tissu se coller à sa peau. Elle a l'impression d'être lavée de tous les malheurs qu'elle attire comme un aimant.

Vraiment, elle est différente des autres. Elle n'a rien de fondamentalement commun avec Évelyne, avec les centaines de gens qu'elle vient juste de croiser dans les longs couloirs. Elle devrait un jour s'en persuader.

Tandis que ses cheveux s'aplatissent sur son front et sa nuque, elle songe avec intelligence que c'est peut-être au moment où elle acceptera cette différence que tout ira mieux pour elle. Elle arrêtera de se chercher. Vouloir s'associer à des modèles précis, ressembler à Évelyne, en particulier, l'empêche de découvrir sa propre personnalité, de l'habiter à l'aise.

Soudainement, Évelyne freine à côté d'elle, éclaboussant ses souliers. Dominique ouvre la portière et monte. Elle tire vers le bas l'extrémité de sa jupe qui, mouillée, cherche à mouler ses cuisses. L'humidité de ses vêtements la fait grelotter.

Dès le premier coup d'œil, Évelyne juge son amie ragaillardie. Son air maussade a disparu, les gouttes de pluie ont agréablement remplacé les larmes sur son visage aux joues creusées par la fatigue. Seuls ses yeux rougis n'ont pas retrouvé leur brillance.

Tout en conduisant, Évelyne repense à la poupée. En quoi ce jouet de plastique a-t-il pu créer chez Dominique cette panique? Sur le coup, elle se promet de rapporter le fait au docteur Marotte mais, en y repensant bien, décide au contraire de taire l'événement: que ferait le psychiatre d'un tel renseignement?

C'est elle maintenant qui est perplexe alors que l'humeur de sa protégée s'améliore. Pourquoi la jeune femme feint-elle d'avoir oublié les malencontreux événements vécus quelques minutes plus tôt? Vraiment, elle ne comprend pas Dominique aujourd'hui. Elle est si énigmatique, si mystérieuse, pleine de paradoxes, de contrastes et d'attitudes pour le moins étranges sans lien les unes avec les autres qui, en cette journée pluvieuse, la frappent de plein fouet. Jamais auparavant la complexité de son amie ne lui est apparue d'une manière aussi consternante.

Elles reviennent à la maison à vitesse réduite. Il pleut tant que les essuie-glaces ne suffisent plus à faire leur travail. La ville a adopté une teinte grisâtre vaguement translucide qu'on devine derrière le pare-brise. Des coups de tonnerre ininterrompus retentissent dans l'auto comme dans une caisse de résonance.

La voiture, après un temps interminable, se loge enfin sur le stationnement de la maison. L'orage diminue d'intensité fuyant vers le sud, mais la pluie demeure torrentielle.

Dominique, transie sous ses vêtements qu'elle aurait pu tordre, saisit une couverture à carreaux, sur le siège arrière. Elle la passe sur ses épaules de façon à couvrir aussi son dos et la maintient serrée sur sa poitrine.

— De grâce, Évelyne, j'aimerais que tu ne prêtes pas trop d'importance à ce qui s'est passé tout à l'heure... J'ai perdu la tête... Je ne savais plus ce que je faisais. Je ne recommencerai plus ; c'est promis.

— Tu sais, j'ai eu une vie très difficile... en tout cas, je pense, plus difficile que pour les autres enfants. J'ai passé toute ma jeunesse dans des institutions. En Europe, je te jure que c'était quelque chose... J'étais presque maltraitée ; personne ne s'occupait de moi ; j'étais un animal dans une cage. Tu ne pourras jamais t'imaginer.

Sa figure est sombre. Elle respire profondément.

— Alors, vois-tu, je ne suis pas comme toi, comme tout le monde : j'ai eu une enfance malheureuse, une adolescence artificielle. Personne ne m'a aidée à traverser cette période. J'étais révoltée contre mes parents... Comme je leur en ai voulu de m'abandonner. J'étais craintive : la première fois que j'ai été menstruée, je pensais que j'allais mourir au bout de mon sang. Je me souviens encore de la crise que j'avais faite. On m'avait mis la camisole de force. Une infirmière a fini par comprendre et m'expliquer ce qui m'arrivait...

Elle fait une pause. Dominique croit dans son for intérieur que ces explications sont les bonnes, que son passé motive son étrange conduite.

— J'ai trouvé des joies à travers toutes les situations, pourtant tristes, qui ont parsemé mon existence. À la maison St-Marc, je crois même avoir connu une certaine joie de vivre ; au moins, j'y étais très bien ; c'était déjà beaucoup pour moi.

Elle émet un petit rire nerveux ; elle parle déjà de la maison à l'imparfait. Évelyne sourit pour l'inciter à poursuivre ses confidences.

— Et maintenant, je suis renversée par ce qui m'arrive, par ce départ. Comprends-tu Évelyne ? On me plonge dans un univers et dans un bonheur que je n'espérais même plus. J'ai l'impression de ne plus être moi-même ; une si belle chose ne peut m'arriver à moi. Rien ne m'est jamais arrivé de bien, à part ta rencontre bien sûr...

Dominique sourit.

— Sais-tu qui dans ma pauvre vie m'a rendue le plus heureuse ?

La jeune femme retient sa réponse quelques secondes.

— Eh bien ! c'est mon oncle Ernest.

Elle a l'air radieux en prononçant ce nom et regarde Évelyne droit dans les yeux.

Un éclair illumine le ciel. Les couleurs environnantes, dominées par le vert du feuillage et le gris des pierres de l'habitation pâlissent d'un ton. On aurait cru voir le décor à travers une immense trame. Un bruit de déchirement se fait entendre.

Quand la nature se tait enfin, Évelyne, amusée mais attentive, donne suite au message.

— L'oncle Ernest ? Tu ne m'as jamais parlé de lui.

— C'est un secret. Je n'en ai jamais parlé à personne. Elle raconte à Évelyne qui est cet homme mystérieux.

— L'oncle Ernest est un être imaginaire, poursuit Dominique en ricanant. Je l'ai inventé quand j'étais petite pour me confier à lui. Il m'a été utile lors des périodes creuses de ma vie... Je lui raconte tout ce qui m'arrive.

À mesure qu'elle parle, Évelyne imagine devant elle une Dominique âgée de six ou sept ans qu'elle aurait serrée contre son cœur. Elle veut tant qu'elle se sente aimée. Ses yeux qui s'embuent l'obligent à détourner le regard. Ni l'une ni l'autre n'a remarqué que la pluie a cessé.

— Un jour, fit Évelyne d'une voix grave, si je deviens ta meilleure amie, encore plus importante que l'oncle Ernest, me raconteras-tu ta vie, me confieras-tu tes secrets, tes moindres pensées ?

— Oui, à ce moment je te dirai tout, mais ce sera moi qui prendrai la décision de te raconter.

Évelyne comprend. Elle n'insiste pas davantage. Elle attendrait que Dominique soit prête.

Avant de se quitter, les deux femmes discutent un moment de considérations plus terre à terre, relatives à l'organisation de la journée du lendemain, celle, bénie entre toutes, où Dominique quittera la maison. Puis celle-ci, dépliant ses jambes qui tremblent, sort de l'auto et referme la portière derrière elle.

Une légère bruine tombe, semblable aux embruns de la mer. Dominique traverse le terrain en direction du porche de l'entrée principale en jouant à saute-mouton avec les flaques d'eau laissées par l'averse.

Hors de l'automobile, sans la présence rassurante d'Évelyne, elle redevient la Dominique faible qu'elle a toujours été. Cette femme a sur elle un effet si apaisant... Le calme qui l'habitait précédemment était surtout dû à sa présence.

En gravissant les grandes marches extérieures de la maison, que la pluie avait rendu glissantes comme le givre, son esprit, libre de la protection d'Évelyne, vagabonde allégrement. Il s'arrête sur son étrange fuite du début de l'après-midi. Bon sang! Qu'est-ce qui lui a valu de réagir d'une façon aussi singulière. Elle se sent si stupide. Quel bizarre stimulus la vue de cette poupée a-t-elle déclenché à son insu dans son cerveau? Où l'a-t-elle vue précédemment? Car cela, Dominique en est certaine : elle l'a déjà vue. Dans quelles circonstances, elle ne s'en rappelle pas, à moins qu'un mécanisme en elle ne l'empêche de se l'avouer?

Dominique tire à elle la lourde porte donnant accès au vestibule. C'est alors que la seconde porte s'ouvre et que Jean est là, devant elle.

La surprise se peint sur ses traits, la laissant muette tandis que l'infirmier semble cloué sur place. Cette fois-ci, il ne pourrait pas s'échapper ; tourner le dos pour fuir serait le fruit d'une lâcheté sans bornes et il n'a pas ce défaut.

Dominique reprend ses sens la première. Elle se force à sourire. Elle a tant à lui dire et cette fois elle ne ratera pas sa chance.

*

*   *

— Bonjour Jean, parvient enfin à articuler Dominique.

— Bonjour Dominique. Il y a longtemps...

— Oui. Ça fait longtemps que je veux te voir, te parler.

Tous deux se tiennent face à face, fixant bêtement le plancher. Après lui avoir annoncé son départ, elle ne l'a presque plus vu. Elle l'a attendu souvent, le soir à la cafétéria, mais en vain. À peine se sont-ils croisés de temps à autre, n'échangeant que des banalités.

— Je... J'ai été très occupé. Ça été impossible d'aller te voir. J'ai souvent travaillé sur le quart de nuit... J'ai...

Le langage de Jean redevient normal. L'effet de surprise s'estompe. Il passe une main dans ses cheveux courts, dans un geste nerveux puis relève la tête vers Dominique. Il sourit gauchement et allonge le bras pour, de l'index, relever avec douceur le menton de Dominique, la forçant à redresser la tête et à le regarder. C'est la première fois qu'il la touche de la sorte, avec tendresse. Leurs yeux se rencontrent, l'espace d'un éclair. Dominique se détourne lentement, incapable de soutenir son regard.

Jean se maudit intérieurement. Il lui en veut de le laisser ainsi en plan. Cent fois il s'est imaginé cette rencontre ; cent fois il l'a giflée dans son esprit. Mais, maintenant qu'elle est devant lui, il se sent faible. Oui, voilà bien ce qu'il est : un être sans caractère.

Le vestibule, avec ses murs nus, sombres, éclairés par un lustre aux pendeloques empoussiérées, perché très haut dans la pièce, n'incite guère aux confidences. Les mots passent difficilement par la bouche de Dominique.

— Allons à la salle commune, Jean. Enfin, si tu as le temps, bien sûr.

Cette fois, elle le regarde sans ressentir de malaise. Pour retrouver sa confiance en elle-même, elle tente d'imaginer Évelyne à ses côtés, mais son esprit, troublé, n'y parvient pas. Non, elle ne pourra jamais lui exprimer tout ce qu'elle ressent.

Jean ouvre galamment la porte séparant le vestibule du hall d'entrée. Frissonnant, elle se souvient qu'elle porte encore ses vêtements mouillés. Mais peu lui importe ; elle ne va pas risquer de le perdre après l'avoir enfin trouvé.

Entrée dans le grand salon, Dominique gagne sa berceuse préférée, près d'une fenêtre. Dehors la bruine s'intensifie et une légère brume flotte près du sol. La pensée qu'elle s'assoit probablement en cet endroit pour la dernière fois l'effleure furtivement. L'échéance de son départ lui fait voir la pièce différemment, comme si elle ne l'avait jamais regardée vraiment avant. S'habituerait-elle de la même façon à sa nouvelle vie ? Elle souhaite intérieurement que cela ne soit pas le cas. Il serait si bon d'y découvrir chaque jour une richesse particulière.

Jean attire une chaise droite à quelques pas de Dominique et s'y assoit face au dossier. Il regarde la jeune femme. Elle est plus désirable que jamais. Il ferme les yeux pour vite chasser cette pensée et se concentrer sur ce qu'il a à lui exprimer. Toutefois, c'est Dominique qui rompt le silence.

— Tu sais, Jean, que je quitte la maison demain. C'est de ce départ dont je veux te parler...

Ces derniers mots s'étranglent dans sa gorge. Elle ne contrôle plus sa voix. Le courage pour continuer lui fait défaut.

Jean comprend son malaise et vient à sa rescousse.

— Je sais, Dominique, je sais.

Il la regarde pensivement, détaillant ses bras, ses épaules où tombent des cheveux défaits et humides.

— Et je dois t'avouer que cela me chagrine de penser que tu nous quittes. J'ai peur de ne plus te revoir.

Sa voix se met à trembler. Il aurait souhaité être beaucoup plus explicite, mais se sent impuissant devant Dominique.

Je veux que tu me pardonnes de n'être pas venu te voir avant. J'ai été très occupé, certes, ment-il, mais je reconnais que j'aurais dû faire un effort... Je suis vraiment navré. S'il te plaît, crois-moi.

Il se tait quelques secondes puis reprend la tête basse :

— La nouvelle de ton départ m'a pris au dépourvu, tu sais ? Je me plais bien avec toi. La maison ne sera plus la même sans toi.

Il serre les mâchoires en une grimace de mécontentement. Que ses paroles sont insignifiantes à côté de ses sentiments profonds ! Aucune phrase ne les représente avec fidélité. Et cette tendresse inexprimée crée en lui des tensions qui l'effraient.

Ainsi c'était ça. Dominique est enfin fixée. Elle est soulagée. Elle découvre le fin mot de l'histoire : Jean la fuyait parce qu'il était trop attaché à elle. Trop... Quel adverbe saugrenu ! Et il pensait l'oublier par cette attitude d'autruche...

— Toi aussi tu me manqueras.

Une nuée de papillons bat des ailes dans son estomac. Son cœur s'accélère ; elle ressent ses pulsations jusqu'à ses tempes.

— Mais je reviendrai vous voir... Vous êtes ma vraie famille.

Elle se rend compte qu'elle ment une nouvelle fois à ce sujet et, honteuse, détourne la tête vers la fenêtre.

La brume monte et fait maintenant songer à des monceaux de ouate dispersés çà et là sur le parterre. Dominique délaisse cette triste vision. Pourquoi est-elle incapable de dire ces phrases en les adressant à Jean d'une façon personnelle. Car, elle doit l'avouer, il n'y a que lui qu'elle désire revoir. C'est lui qu'elle aime !

Ce mot traverse son esprit sans crier gare, la glace, l'étourdit. Des gouttes de sueur apparaissent soudainement à la racine de ses cheveux bien qu'elle fasse des efforts pour ne pas claquer des dents.

Son regard se pose encore sur cet homme qui la bouleverse tant, que le sort va retirer de son existence. Elle éprouve une curieuse envie de s'abandonner larmoyante dans ses bras, de se vider de tant de mélancolie accumulée.

Les cris des pensionnaires se rendant à la salle à manger tirent Jean et Dominique de leurs réflexions. L'infirmier se lève lentement ; sa mine déconfite traduit bien l'insatisfaction qu'il a de lui-même.

— Tu viens tout de suite ? demande-t-il en désignant le couloir menant au réfectoire.

Il se retient pour ne pas lui tendre la main.

— Non, fait la jeune femme d'une voix absente. Je dois me changer.

— Nous nous reverrons plus tard ?

— Sûr, murmure Jean. Plus tard.

Dominique sort dans le hall maintenant désert, monte l'escalier et arrive à sa chambre, les mâchoires crispées, la main en visière sur les sourcils, la tête penchée vers l'avant. Elle referme la porte derrière elle et, d'un élan, s'écrase sur son lit en pleurant.

Elle ne retrouve un calme relatif qu'une quinzaine de minutes plus tard. Si le lendemain peut vite arriver, lui faire oublier ces heures pénibles où elle a tant de mal à vivre.

Dominique retire ses vêtements humides pour en passer d'autres. Elle doit pour cela ouvrir une valise bouclée le jour même avec Évelyne. Puis, elle descend à la salle à manger. Là, on l'accueille par une salve d'applaudissements spontanés qui lui fait chaud au cœur, l'intimide un peu même ; elle n'est pas habituée à la popularité.

Plusieurs pensionnaires s'approchent, la félicitent. Deux infirmières viennent lui adresser quelques bons mots mais la jeune femme ne les écoute que distraitement. Elle cherche dans la salle, par-dessus leurs épaules, la haute silhouette vêtue de blanc de Jean : mais il n'y est pas.

VIII

Jean Longpré n'a aucun mal à quitter l'immense salle à manger de la maison St-Marc sans être vu.

Ses nerfs irrités, sa tension grandissante, ne peuvent plus supporter cet absurde débordement d'enthousiasme. Il devient presque ulcéré, incapable de feindre davantage une joie qui ne l'atteint en rien. D'ailleurs, n'est-il pas, à toutes fins utiles, le grand perdant de l'événement que vit Dominique et qu'elle fête au même moment ?

Jean doit trouver rapidement un endroit où il sera isolé, où l'on ne risquera pas de venir l'importuner d'idiotes questions. Il a à réfléchir. Il ne peut quitter la maison avant minuit car tôt ou tard on s'apercevra de sa disparition.

Sans trop le réaliser, il se retrouve vite au premier étage devant la porte numéro sept. Que donnerait-il pour aller se coucher avec Dominique, dans le lit qu'il imagine derrière le battant ? Il a envie de pénétrer dans la pièce mais se retient. Il tourne le dos et appuie ses avant-bras au cadre de la fenêtre qui lui fait face, dans une pose de découragement.

Dehors, la brume, se déplaçant par volutes, a pris des proportions inquiétantes, réduisant de beaucoup la visibilité. De son point d'observation il distingue encore, mais avec une netteté moindre, les détails de la cour, en contrebas. Bientôt d'ailleurs, ceux-ci disparaîtront entièrement sous la masse grise. Le hangar, un peu en retrait, à une cinquantaine de mètres de la maison, ne laisse déjà plus émerger que son toit de tôle argentée.

Il se rappelle subitement combien la discussion avec Dominique l'a laissé insatisfait, furieux contre lui-même. Il n'a jamais été avec les femmes ce qu'on peut appeler un fin causeur mais néanmoins, il n'a jamais auparavant perdu ses moyens à ce point. Il devait garder son contrôle et ne l'avait pas fait.

Lorsqu'elle lui était apparue, attirante malgré son chemisier défraîchi, il n'avait réussi qu'à grommeler des propos insignifiants. La vigueur, l'éloquence qu'il voulait y mettre n'étaient pas là. La vie était dure de faire miroiter devant lui un amour impossible. Un amour qui mourrait avant même de s'épanouir, mais qu'il se refusait néanmoins à perdre.

Il aurait été pourtant si simple de lui dire : « Dominique, je t'aime. Ne me quitte pas. » Puis d'une façon plus subtile, de lui expliquer à quel point il tenait à elle. Cela l'aurait sûrement troublée.

Des milliers d'amoureux se tiennent ce langage chaque jour, pense-t-il, pourquoi en suis-je donc incapable ?... Des mots qui, venant de mon cœur, ne pourraient être balayés du revers de la main. Pourquoi, bon Dieu, il lève les yeux vers le plafond, en suis-je incapable ?

La rage le fait grimacer. Il serre les poings jusqu'à ce que naisse de la douleur. Il a envie de marteler sauvagement le mur et la vitre devant lui mais respire longuement et reprend ses sens. « Du calme. Du calme. Il existe certainement une solution. »

Jean repense soudainement à Catherine dont, follement amoureux, il a partagé l'existence quelques années auparavant. Au cœur d'une période harmonieuse, il s'était mis à craindre de la perdre. Rien pourtant ne laissait présager que cela puisse lui arriver... Une peur irraisonnée l'avait saisi et amené à manifester des comportements d'abattement et de jalousie tout à fait exaspérants. Elle avait fini par le quitter sans explication.

Il y avait eu aussi, l'année précédente, la jolie Anne, mannequin très en demande travaillant pour une agence de Québec. Jean se la rappelle, si svelte, si petite dans ses bras, avec ses cheveux courts lui donnant une mine espiègle. Que s'était-il passé avec elle également pour motiver son acceptation d'un nouvel emploi sur la côte ouest du pays ? Pourquoi cette même crainte, cette même jalousie stupides s'étaient-elles déclarées ? Elles avaient vite mis un terme au bonheur que tous deux connaissaient jusque-là, précipitant vers la rupture une union qu'il croyait solide. Il se souvient avec amertume d'une scène qu'elle lui avait faite quelques jours avant son départ ; elle avait perdu tout intérêt pour lui.

La grande question était donc de savoir pourquoi il agissait de façon à ce qu'on se débarrasse de lui avec une régularité aussi troublante ?... Car il aurait pu multiplier les souvenirs du même ordre. Était-ce là son destin ?

Avec Dominique, il avait d'abord cru s'engager dans une relation d'où il sortirait gagnant. La jeune femme ne risquait pas de le balancer après en avoir tiré le meilleur et après s'être aperçue de ses défauts. Elle était différente. Contre elle, la fatalité se révélerait impuissante. De plus, les choses étant ce qu'elles sont, il n'aurait pas à jalouser qui que ce soit...

Mais aujourd'hui, à la veille de perdre cette même femme en qui il a mis tant d'espoir, Jean réalise que sa vieille ennemie l'a encore jeté au tapis, cette fois par des moyens détournés, par un coup du sort.

Il n'aura pas la force de vivre avec une autre peine d'amour ; il a envie de crier sa hargne en constatant que c'est vers une rupture que les minutes l'acheminent. « Il existe certainement une solution », répète-t-il une seconde fois.

Il est trop tard pour tenter à nouveau de lui expliquer... De toute façon, il en serait incapable. Quelle réaction stupide il avait eue en la fuyant si longtemps. S'il avait mis tout ce temps à profit pour l'approcher, l'amadouer, lui montrer son amour avec tendresse, il ne serait pas aujourd'hui pris au dépourvu. Et ces semaines sont maintenant réduites à la ridicule proportion de quelques heures après lesquelles la jeune femme tant désirée disparaîtra à jamais de sa vie.

La fréquenter en dehors de la maison, dans le cadre d'une liaison tout à fait normale est impensable pour Jean. Elle aurait alors la capacité de le juger, de l'évaluer. Elle deviendrait comme toutes ces femmes qui l'avaient tant de fois laissé sur le carreau. De plus, il en est sûr, tout ce qui pourra alors rappeler à Dominique son passé lui deviendra insupportable. Il préfère de loin ne plus la revoir que de lire du mépris ou de l'indifférence dans ses beaux yeux bruns.

D'ailleurs, pense encore l'infirmier, d'ici peu, le monde s'offrira à elle. Des hommes la courtiseront. Elle l'oubliera tout à fait.

Jean a l'air de plus en plus morose.

S'il l'avait fuie, agissant d'une façon opposée à celle qu'il souhaitait en son for intérieur, c'était également par crainte de ses propres élans, avec lesquels il était en lutte constante. Ils le poussaient à aller trop loin avec Dominique. Il n'avait pas affaire là à n'importe quelle fille ayant largement profité des plaisirs de la vie avec maints partenaires auparavant. Dominique offrait au contraire une pureté et une naïveté uniques qui ne faisaient qu'exciter sa convoitise. Or, tout geste immodéré de sa part risquait de la froisser au point de provoquer une rupture immédiate de leur lien encore si pudique. Mais là, puisque la brisure est désormais une réalité inexorable... il n'a plus rien à perdre.

Jean reporte son attention sur la brume qui se déplace maintenant très lentement, au gré d'une brise presque imperceptible. Il tire une cigarette de son paquet et craque une allumette. La vitre, quelques centimètres devant lui, fait office de miroir et réfléchit sur un fond brumeux la lueur dansante de la flamme éclairant faiblement son visage. Puis son regard, devenu étrange et perçant, accroche de nouveau le toit du petit hangar dont la couleur est maintenant indéfinissable. Et soudain, fruit d'une étonnante conjugaison de visions, la solution est là, devant lui.

IX

Dominique passe les heures suivant le repas à se promener de groupe en groupe. La fête qu'on lui a préparée à la hâte commence cependant à s'éterniser. La jeune héroïne se sent bientôt lasse d'être attablée avec ces hommes et ces femmes qui font partie de son quotidien depuis si longtemps. Eux qui, le lendemain, en même temps que la maison, les érables, les vieux meubles Art déco de sa chambre, se joindraient au bagage de souvenirs encombrant son cerveau.

La soirée l'a vivement émue. À quelques reprises, ses joues pâles se sont même barbouillées de larmes.

Dominique en a soudainement assez de ces paroles d'adieu répétées sans cesse. Elle décide d'aller se coucher.

L'horloge grand-père, au fond de la salle, va dans quelques minutes sonner les dix heures.

Après d'ultimes remerciements auxquels le vide de la salle fait un triste écho, elle se retire à pas lents, toute droite, consciente des quelques regards braqués sur elle. De toute manière, sa gorge serrée par l'émotion l'aurait empêchée d'ajouter quoi que ce soit.

Elle monte l'escalier monumental tandis que son esprit se préoccupe déjà du jour suivant. Le matin qui se lèverait après la longue nuit s'amorçant déjà serait différent de tous les autres.

Sentant ses pensées devenir indomptables, Dominique décide de suivre le conseil d'Évelyne. Parvenue au sommet de l'escalier, elle tourne donc à gauche. Le quartier général du personnel infirmier est tout près. Elle y demande un tranquillisant. Sa nuit devra être réparatrice. Demain, il ne faudra pas décevoir Évelyne. Elle avale le comprimé sur-le-champ.

— Tu verras, tu vas dormir comme un poupon, lui dit Jeanne.

Dominique remarque l'absence de Jean dans le grand bureau mais la passe sous silence ; elle ne veut pas attirer l'attention sur sa liaison clandestine.

Pourra-t-elle le revoir ? Il le lui a promis mais maintenant elle en doute. Au fond c'est peut-être mieux ainsi, songe-t-elle en faisant demi-tour vers sa chambre. Qu'aurait-elle pu dire de plus ? Tout était terminé. Jean n'aura été qu'un des rares bons moments de sa vie.

Le bris de leur relation lui laisse un arrière-goût moins amer qu'elle ne l'aurait cru. Lorsqu'elle s'était imaginé cette rupture, les jours précédents, elle s'était vue larmoyante, pendue aux bras de Jean, comme dans ces situations si pathétiques illustrées par des films de second ordre. Puis, au cours de ces heures de fête qui la rapprochaient de l'échéance de son départ, cette tension avait fait place à une pensée plus sereine, plus positive. Ce qui comptait maintenant, c'était de réussir sa sortie avec une dignité qu'elle n'avait jamais présentée auparavant, même s'il fallait qu'elle y laisse quelques plumes. Et, en l'occurrence, Jean était une de celles-là. Oh ! bien sûr elle aurait préféré le garder, que son amour pour lui continue à grandir, à s'approfondir ; mais voilà, elle devait faire une croix quelque part ; or, elle ne repousserait certes pas une liberté qu'elle n'attendait plus. C'était malheureux que ce soit Jean qui écope, mais pouvait-elle faire autrement ?...

Lucide, elle songe tristement que sa réflexion est facilitée par l'absence de l'infirmier. S'il avait été là, tout à l'heure, avec ses compagnes de travail, à quelques mètres d'elle, si elle l'avait vu, peut-être réagirait-elle différemment... Une crise de nerfs remplacerait peut-être le calme inhabituel qui est sien.

Mais toutes ces considérations sont désormais secondaires. Bientôt ses paupières commenceraient à s'alourdir sous l'effet de l'anxiolytique qu'elle a absorbé. D'ici une demi-heure, elle serait même passablement amortie... Cela est sans importance, songe-t-elle, puisque après sa douche rituelle, elle se mettrait au lit et dormirait à poings fermés.

Dominique ne reste dans sa chambre que quelques minutes. Elle choisit les vêtements de nuit et les rares produits de toilette qui lui seront nécessaires. Elle entrouvre ensuite la fenêtre sur cette soirée fraîche, respire l'air humide. La brume est si dense qu'on ne voit pas à cinq pas. Les phares d'une auto passant dans la rue dégagent une si faible intensité qu'on dirait des lucioles. La jeune femme frissonne puis sort précipitamment de la pièce pour se diriger vers la salle d'eau.

Certaine qu'à cette heure avancée personne ne viendrait la déranger, elle laisse ses vêtements épars sur les carreaux de céramique et entre sous la douche. Elle reste là, inerte, plusieurs minutes, se détendant sous l'eau chaude, bienfaisante, qui, ajoutée au comprimé, alourdit son esprit.

Elle renverse la tête vers l'arrière comme elle l'a fait l'après-midi même sous la pluie diluvienne, laissant le jet puissant lui masser les joues, le nez, le front. Perdue dans la sensation de bien-être que l'eau lui procure, Dominique ne peut entendre le choc léger de la porte de la salle d'eau qu'on referme avec précaution.

*
*   *

Jean Longpré demeure à la fenêtre jusqu'à 21 heures. En quelques occasions, il doit s'en écarter brièvement et paraître occupé tandis qu'un pensionnaire se dirige vers sa chambre. Il s'efforce d'avoir l'air le plus naturel possible, se parant d'un sourire découvrant des rangées de dents trop égales. Puis, une fois la porte refermée, il réintègre son poste d'observation.

Plus le temps passe, plus il consulte fréquemment les aiguilles de sa montre. Sa tension nerveuse s'accroît aussi : il fume cigarette sur cigarette, écrasant ses mégots sur le rebord de la fenêtre.

À 21 heures précises donc, le va-et-vient s'accentuant, il quitte le corridor pour un autre endroit où il pourra tout à loisir polir le projet qui vient de germer dans son esprit.

Mais avant de passer à sa réalisation, il doit revoir Dominique. Il faut donc être au courant de ses allées et venues. Le synchronisme de ce rendez-vous doit être parfait. Après, le temps n'aura vraiment plus d'importance...

L'infirmier se rend au quartier général de son service où il prend soin de s'installer à un comptoir, dans l'ombre. De là, grâce à un petit miroir à sa gauche, il peut observer adéquatement les pensionnaires débouchant dans le corridor. Il n'est pas à plus d'une quinzaine de mètres d'eux mais, pourtant, demeure invisible à un œil inattentif.

Il étend devant lui des formulaires utilisés quotidiennement par le personnel infirmier. Pour donner le change au cas où une de ses collègues entrerait à l'improviste dans le local, il saisit un stylo entre ses doigts et feint de les remplir. Cette précaution prise, il se concentre à nouveau sur le miroir.

21 h 15. 21 h 30. Mais pourquoi ne monte-t-elle pas ? Pourvu qu'elle arrive bien seule à sa chambre. Sinon tout sera à repenser. Il est hypertendu à force de retourner dans sa tête des tas de questions. Et si elle a deviné ce qui l'attend ? Vraiment, il sombre dans le ridicule. Cette attente l'exaspère tant.

Bientôt, il se met à trembler. Il faut pourtant qu'il se contrôle, qu'il se domine. Il aura plus tard des gestes précis à effectuer.

Relâchant sa surveillance, il s'étire jusqu'à une petite bouteille de verre bistre, sur le comptoir non loin de lui. Il fait jaillir dans la paume de sa main un cachet de Valium et l'avale tout rond, après s'être fait saliver abondamment ; il ne peut prendre le risque de se rendre au lavabo boire une gorgée d'eau : de là, il perdrait de vue le corridor pendant de longues et précieuses secondes. Or, si Dominique venait à passer durant ce court laps de temps, son plan serait encore à réviser. Il doit formellement la rencontrer seul à seul avant de passer aux actes.

Après un nouveau quart d'heure d'attente, Jean, n'y tenant plus, décide d'agir. Il se lève et descend à la cuisine pour constater ce que Dominique y fait. Là, tapi derrière un des passe-plats, il jette un regard à l'intérieur de la cafétéria et assiste à son départ. Il entend les derniers remerciements adressés à ses compagnons ; il la regarde s'éclipser d'un pas mesuré vers le hall d'entrée. Rapidement, la cloison interne du passe-plat la dissimule à ses regards. Jean recule doucement ; un sourire illumine son visage.

Les autres pensionnaires se lèvent à la suite de Dominique et s'engagent eux aussi dans le court passage donnant accès au hall. Jean jubile : tous ceux qui quittent la salle en ce même moment logent au deuxième étage de la maison. Selon toute vraisemblance, ils utiliseront les douches de ce niveau... Ce qui signifie que Dominique sera seule dans la salle d'eau.

*
*   *

Jean attend quelques instants puis vient s'asseoir sur le siège encore chaud qu'a occupé la pensionnaire pendant la dernière heure. Le tissu semble imprégné de son odeur douceâtre. Il consulte encore une fois sa Longines. Si tout se déroule comme prévu, cinq minutes plus tard, il montera l'escalier central et rejoindra Dominique.

La Valium, dont l'effet bénéfique commence à se faire sentir, l'aide à garder son calme, sans toutefois altérer sa lucidité et sa perception des événements. Et Dieu sait que ces deux facultés lui seront essentielles au cours des heures qui vont suivre.

*
*   *

Jean s'avance sur la pointe des pieds jusqu'à la porte de chambre de Dominique. Plus tôt, dans le vestiaire du rez-de-chaussée, il a chaussé de vieilles espadrilles qu'il ne porte presque plus jamais ; ainsi, il sera aussi silencieux qu'une ombre. Il colle attentivement une oreille au battant : seul le faible bruissement des rideaux se balançant sous le souffle du vent est perceptible. Il s'écarte d'un pas et s'incline : aucun rayon de lumière ne filtre sous la porte. Il se relève lentement et regarde avec insistance une autre porte, au bout du corridor, donnant accès, celle-là, à la salle d'eau.

Une petite contraction répétitive et involontaire anime la commissure de ses lèvres. Maintenant que débute la seconde partie de son plan, sa nervosité est presque disparue ; n'en subsistent que ces sursauts ridicules d'un petit muscle sans importance. Tout se déroule à merveille. En ce même moment, la jeune femme doit être sous la douche... Vraiment il a imaginé son petit scénario avec génie.

Jean pousse prudemment la porte et le bruit du jet d'eau caresse son oreille. Oui, tout est parfait. Il fait trois petits pas, s'avançant jusqu'à l'angle droit que forment le petit couloir et le grand vestiaire entouré de casiers. Il penche la tête de façon à ne laisser émerger qu'un œil au-delà de l'angle. Le vestiaire est vide. Seuls des vêtements éparpillés au sol et sur un grand banc de chêne témoignent d'une présence.

Saisi d'un doute subit, Jean détaille de loin ces vêtements, ou plutôt leur nombre. Y a-t-il quelqu'un d'autre avec Dominique dans la douche commune ? Non. Cela ne semble pas.

Il s'avance à nouveau, courbé, à pas de loup et soudain elle est là, devant lui. Comme la dernière fois où il l'a surprise, elle lui tourne le dos. Il recule d'un mètre pour se dissimuler derrière la porte d'un casier demeurée ouverte en bout de rangée. Ainsi, même quand elle sortirait de la grande cabine, elle ne risquerait pas de l'apercevoir.

Cette fois-ci, il ne se sauverait pas comme le couard qu'il a été précédemment.

Il reste là à admirer ce corps si bien tourné. Patience, se répète Jean à plusieurs reprises. Ses yeux ne peuvent quitter ces rondeurs provocantes. Patience ! Attendons le moment favorable...

L'infirmier n'a pas à se morfondre bien longtemps : Dominique se rince, pivotant sur elle-même à maintes reprises. Elle offre à la contemplation de Jean de petits seins fermes, luisants sous les gouttelettes d'eau, un ventre plat tombant sur un pubis soyeux, des cuisses bien galbées, comme rarement il en a vu.

D'un geste lent, Dominique tourne vers la gauche la manette du robinet. Un lourd silence s'installe dans la pièce, troublé seulement par la musique cadencée des respirations. Celle de Jean se fait soudainement plus saccadée. Elle lui paraît si bruyante qu'il craint un instant trahir sa présence de cette manière bien involontaire ; mais Dominique ne s'aperçoit de rien.

Elle secoue sa chevelure pendant quelques secondes, la peigne grossièrement de ses doigts écartés puis sort enfin de la petite salle. Toute grelottante, elle passe un drap de bain sur son dos et en remonte une des extrémités pour se frictionner le cuir chevelu. À ses gestes mous, imprécis, Jean comprend qu'elle a absorbé un calmant, probablement du Valium comme lui, mais à une dose beaucoup plus forte. La partie serait donc encore plus facile qu'il ne l'a d'abord cru.

Elle tourne encore le dos à Jean, à quelques pas devant lui... si près qu'il doit se faire violence pour ne pas toucher cette peau veloutée. Mais le moment n'est pas encore venu ; il se retiendra aussi longtemps que possible. Il doit la regarder encore, s'imprégner de sa vision, de ses contours. Il doit conserver ses formes pour toujours au plus profond de sa mémoire.

Mais il n'en peut plus. Il s'enhardit et dépose sa main avec une délicatesse insoupçonnée sur l'épaule humide, nacrée. D'un même mouvement, il quitte résolument la paroi métallique qui lui servait d'abri.

— Dominique.

La jeune femme a l'impression que son cœur s'arrête de battre une seconde en entendant cette voix masculine. Surprise, elle tourne brusquement sur elle-même, oubliant totalement sa nudité, ahurie, humiliée. Pendant un bref instant, elle dévisage Jean. Ses traits, d'habitude pleins de douceur, ses yeux arrondis de stupéfaction, expriment un mélange de colère de le voir en ce lieu interdit et de honte vis-à-vis sa propre impudeur. La main posée sur elle lui brûle la peau, les yeux brillants qui la dévorent volent son intimité. Elle ressent un malaise semblable à celui que produisent en elle les injections administrées par les infirmières lors des visites de ses parents.

Pendant le court moment où elle lui fait face, alors qu'ils sont distants de moins d'un mètre, Jean peut très rapidement l'admirer sous un angle différent. Il s'imagine déjà l'enlaçant dans ses bras, ses grosses mains lui pétrissant le dos, ses doigts jouant sur sa peau d'une texture enfantine...

Il considère le fait que Dominique ne songe même pas à retirer celle qui, justement, effleure délicatement son épaule, comme un acquiescement aux actes doucereux et sublimes que ce toucher laisse présager. Rien qu'à cette pensée, il sent un bonheur sauvage l'envahir.

Il faut la caresser ; il est temps de réchauffer ce corps frémissant, songe Jean, tandis que son regard baisse du visage jusqu'aux seins.

Dominique perçoit le mouvement des yeux de l'homme comme un signal. Elle est aux limites du supportable. Une alarme se déclenche quelque part dans sa tête. Alors qu'elle souhaite s'enfuir en hurlant, son corps reste paralysé. Il lui semble aussi lourd à déplacer que du bronze bien qu'elle veuille réagir vite.

Ses bras amaigris par la semaine difficile qu'elle vient de connaître esquissent finalement un premier geste : elle ramène ses mains et la serviette en forme de paravent devant sa poitrine. Ensuite, manifestant enfin une ébauche de raisonnement, elle fait volte-face, sans songer à s'éloigner toutefois, plantant là Jean, abasourdi, décontenancé, ne sachant plus trop à quoi s'en tenir. Ses beaux espoirs de facilité, de docilité, s'en vont en fumée.

L'infirmier s'approche d'elle et saisit ses bras frêles. Une main glisse et arrache le drap qu'elle a ceint à sa taille. Les cuisses de Jean, sous son pantalon, frôlent ses fesses fermes.

Ce contact léger accentue le trouble de Dominique. On aurait dit qu'elle allait se mettre à pleurer.

— Jean, dit-elle, en ouvrant démesurément la bouche. Jean, tu n'as pas le droit! Va-t'en! Je ne veux pas!

Puis, tandis que les mains de l'homme vont et viennent de ses épaules à ses coudes, qu'un souffle chaud balaye sa nuque, elle répète en haussant le ton.

— Va-t'en! Laisse-moi, tu m'entends? Laisse-moi tranquille!

Des larmes se mêlent aux gouttes d'eau demeurées sur son visage qu'elle n'a même pas eu le temps d'essuyer.

— Non, je ne veux pas partir, Dominique. Je ne le peux pas.

Ses lèvres se posent sur son cou, sous l'oreille.

— Tu es si belle. Je te désire tant. Donne-toi à moi! Donnons-nous l'un à l'autre! Allons dans ta chambre, ce sera merveilleux. Viens, je t'en prie, je t'en supplie!

Dominique est secouée de spasmes puissants. Elle se sent au bord de l'asphyxie. Elle s'écroule presque dans les bras de Jean qui doit faire des efforts pour la maintenir debout. Elle ne peut plus endurer ce discours. Elle aurait souhaité ne plus exister dans ce corps qui lui fait honte pour l'attrait qu'il peut exercer, pour les actes auxquels il aurait pu se livrer... Des actes repoussants et invitants à la fois. Elle est de plus en plus troublée.

Une crainte aiguë la fait exploser. Elle balance les bras avec toute la vigueur possible pour l'obliger à lâcher prise. Une fois dégagée, elle lui crie.

— Va-t'en ou je sors d'ici en hurlant! Tu as entendu?

Puis, baissant le ton, elle murmure, comme à regret.

— Va-t'en pour toujours!

Sa voix n'est plus qu'une succession de sanglots étouffés montant de sa gorge : la fin de chaque phrase se charge d'accents de fureur, le tout donnant paradoxalement un effet comique.

Continuant à lui tourner le dos, elle désigne d'un mouvement sec de la tête le petit corridor par lequel il s'est introduit dans la salle d'eau quelques minutes plus tôt. Elle n'ajoute rien. Aucune parole n'est nécessaire.

Jean hésite. Il a cru que Dominique viendrait soigner ses cicatrices sentimentales et voilà qu'elle n'est qu'une nouvelle plaie.

— D'accord, je pars.

Ses mâchoires sont serrées. Les mots sifflent d'une façon menaçante en passant à travers ses dents. Une sourde rage l'envahit. Dominique frémit dans son coin, face aux casiers.

— Mais avant, je vais te dire quelque chose...

Il s'en approche jusqu'à ce qu'un nouveau contact soit créé.

— Tu regretteras de me repousser ainsi, Dominique. Tu le regretteras beaucoup et longtemps.

Il remet ses mains sur les flancs pâles de la jeune femme avec une fermeté qu'il n'a pas démontrée auparavant. Il a envie de serrer cette chair moite se collant à ses paumes. Puis, comme pris de désespoir par ce nouvel échec, il baisse la tête dans une attitude de découragement intense. Ses mains relâchent la pression exercée sur les côtes de Dominique et, comme pour se faire pardonner, il la caresse avec délicatesse.

Cependant le mal est fait. Il a dépassé les limites de tolérance de la pensionnaire. Il devine avoir même franchi un point de non-retour face à leur relation. Jamais il ne pourra effacer par quelque action, par quelque sentiment, ses agissements de ce jour. Il a sûrement effrayé Dominique à tout jamais.

Ses mains recommencent à trembler. En franchissant le seuil de la pièce, il se retourne vers Dominique qui n'a pas bronché. Il ouvre la bouche pour ajouter quelque chose mais se retient. Puis, il disparaît sur un soupir excédé.

Aux yeux de Dominique, Jean Longpré tient désormais beaucoup plus de l'ennemi dangereux que du prétendant attentionné, aux belles paroles, aux yeux brillants de passion. Elle est glacée jusqu'aux os en revoyant dans sa tête le dernier regard qu'il lui a lancé, chargé d'une menace latente. Rarement elle s'est sentie aussi mal ; elle a souvent vécu l'humiliation mais jamais à ce point.

Toute force l'a quittée. Elle se laisse tristement choir sur le sol froid et humide. Ensuite, dans un sursaut d'énergie, elle réussit à se traîner littéralement jusqu'à sa chambre. Son cerveau fonctionne par à-coups entre des moments de plus en plus prolongés de perturbation. Elle ne sait plus très bien ce qu'elle fait. Ses pensées deviennent confuses. Les images de ce pénible rendez-vous qui, pourtant, ne s'est déroulé que quelques minutes plus tôt, se bousculent, se fragmentent dans sa tête en épisodes irréels auxquels se greffent des visions qui n'en font même pas partie. Elle confond son agresseur et situe l'action dans un cadre où rien ne correspond à la réalité. Quelques secondes plus tard pourtant, celle-ci lui apparaît cruellement. Rien ne va plus. Dominique sent la folie la revêtir de son grand manteau.

Et pourtant, elle connaît la vérité. Par quelque processus psychologique, elle comprend l'importance de se souvenir des événements. Mais ses efforts en ce sens sont vains. Elle a perdu tout contrôle : une espèce d'anarchie l'a remplacé.

Une demi-heure plus tard, Dominique est plus calme mais, bizarrement, ne parvient pas à dormir. Elle est couchée, ou plutôt recroquevillée sur son lit. Elle ne cesse de penser à Jean. Se l'est-elle éloigné pour toujours ? Étrangement, elle ne le souhaite pas. Quelque chose en elle réduit la portée de ses gestes, les excuse presque. Mais pourquoi a-t-il agi de la sorte, avec cette promptitude, pense-t-elle ? Y avait-il urgence à unir leurs destins ? Ils pouvaient demeurer de bons amis. Vraiment, ce n'était pas le jeune homme prévenant qu'elle connaissait qu'elle avait eu tout à l'heure devant elle.

Et si c'était elle la fautive ? se demande Dominique. Peut-être s'était-elle trompée sur ses intentions, posant alors des gestes pour le perdre. Sa méconnaissance de la vie et de ses mœurs l'avait-elle induite en erreur ? Bon Dieu ! pourquoi Évelyne tardait-elle tant à lui enseigner à vivre ?

Si son passé qu'elle maudissait tant, avec ses années de solitude, ses Noëls et ses fêtes lugubres, ses dépendances vis-à-vis d'infirmières souvent marâtres et de médecins plus ou moins humains avait été différent, rien de tout cela ne serait arrivé... elle ne connaîtrait même pas cette triste maison... Mais elle ne connaîtrait pas Jean non plus. Un ombrage ternit ses yeux déjà réduits à deux petites fentes.

Les questions sans réponse épuisent Dominique. Plutôt que de resituer ses idées dans leur contexte, elles l'embrouillent davantage. La jeune femme étouffe sous leur poids. Elle a envie d'appeler à l'aide, mais en est incapable.

Puis soudainement, elle ouvre les yeux, respire mieux. Son anxiété diminue.

Sa raison n'est plus qu'un mince fil de fer sur lequel elle se balance au-dessus du gouffre sans fin de l'hystérie ; et le problème c'est qu'elle est une bien piètre funambule.

Mais, de toute façon, l'heure n'est plus aux interrogations. Ce qu'elle aurait dû faire ou ne pas faire n'a plus d'importance car au même moment, Jean, de son côté, passe aux actes.

X

Claude Marotte profite de la soirée en se promenant longuement bras dessus, bras dessous, avec son épouse Amanda, dans les rues du voisinage.

Ils marchent ainsi près d'une heure, bavardant de choses et d'autres, avant de revenir en vue de leur résidence. Une brume vaporeuse, conséquence de la fraîche qui tombe, apparaît un peu partout.

Tous deux sont fourbus car leur vie, plus mouvementée et active sur le plan intellectuel, les empêche souvent de goûter la joie de tels exercices.

Claude s'allonge paresseusement sur un canapé recouvert de chintz.

— C'est dommage que nous n'ayons pas plus de temps à nous consacrer, Amanda. Tu te rappelles, il y a quelques années... Nous devrions prendre des vacances...

À cette époque, il est encore sur les bancs de l'université alors qu'Amanda enseigne dans un collège privé. C'était le bon temps, pense-t-il avec nostalgie où rien n'aurait pu motiver une soirée ailleurs que dans ses bras si chauds, si accueillants... Cela avait bien changé... La vie les soumettait à des horaires serrés.

Et ce soir-là, en regardant de ses yeux brillants sa femme assise à l'autre extrémité du divan dans une pose nonchalante, il espère renouer avec ces souvenirs si chers. Il souhaite qu'elle s'avance lentement vers lui, se glisse subrepticement contre sa poitrine.

Elle a 39 ans, non 40, et est ravissante avec ses cheveux d'un blond presque blanc tombant droit sur les côtés d'un visage fin, vaguement triangulaire. Ses yeux sont d'un bleu azur ; son corps, aux lignes bien dessinées, exhale une subtile odeur de parfum.

Amanda se lève et se dirige vers la cuisine. Elle met en marche la cafetière qui ne tarde pas à émettre des sons sourds à intervalles réguliers.

Dans son coin du salon, Claude Marotte se redresse en souriant de la prévenance d'Amanda qui, quelques minutes plus tard, réapparaît, porteuse d'un petit cabaret chargé de deux tasses de café grandes comme des plats à potage. Elle le dépose sur une table basse, au dessus de verre, juste devant eux. Puis, reculant d'un pas, elle s'assoit près de son mari en écartant les pans de sa robe de chambre. Pivotant ensuite sur les fesses, elle pose ses pieds nus sur un traversin et incline son dos vers l'arrière jusqu'à ce qu'elle sente l'appui du torse de Claude. Elle appuie sa tête avec légèreté au creux de son épaule.

La musique qu'on entend en sourdine, issue d'un invisible stéréo, les baigne dans une douce quiétude. Quels instants de paix ! Ils ont tant parlé au cours de leur longue balade que maintenant ils demeurent silencieux. Leurs yeux sont fort éloquents.

Les cheveux d'Amanda donnent presque sur la bouche de Claude. Il caresse cette tête blonde en y décrivant de petits cercles avec ses lèvres. Ce contact délicat les stimule.

La musique, aérienne, presque voluptueuse, diffusée par les haut-parleurs cesse brusquement, laissant place à la voix stéréophonique, comme celles entendues dans les aéroports, d'une speakerine annonçant un bulletin spécial d'information.

Machinalement, Claude et Amanda détournent leur attention sur cette voix.

« Mesdames, messieurs, un incendie vient de se déclarer il y a quelques minutes à peine à la maison St-Marc de Québec. Pompiers et forces de l'ordre sont présentement sur les lieux. Il semble pour l'instant qu'il n'y ait que des dégâts matériels. Nous vous tiendrons informés de la situation au fur et à mesure de son évolution. »

La voix se tait. La musique reprend odieusement où elle a laissé alors que pour Marotte le monde vient de basculer. Il se sent projeté dans un immense trou noir.

Il se lève brusquement, jetant presque Amanda sur la moquette ; il la rattrape lorsque le téléphone, placé sur une petite table dans la salle de jeu attenante au salon, fait entendre son grésillement.

— Il y a le feu à la maison, venez vite.

— Oui, je le sais. Y a-t-il ?...

On avait déjà raccroché.

Marotte dépose le combiné. Sans perdre une seconde, il marche précipitamment vers la porte. Au passage, Amanda, crispée, lui tend une vieille veste de gabardine.

— Tu veux que je t'accompagne ?

— Non, tu es plus précieuse ici. Tu prendras les appels. Si on demande des informations, tu dis que tout est sous contrôle...

On avisera plus tard. S'il s'agit de parents des résidents... il hésite ; il ne peut leur mentir... dis-leur qu'on les rappellera dans les prochaines heures, ou tôt demain matin... Qu'ils ne s'inquiètent pas trop.

Tout en donnant ces directives à sa femme, il ne cesse d'avancer et sort de la maison. Amanda demeure sur le seuil. Après avoir gauchement enfilé son vêtement, il saute dans la voiture de cette dernière, plus compacte et de manœuvre plus facile que la sienne. Elle serait plus pratique pour se faufiler entre les camions ou les véhicules de secours.

Il actionne le démarreur et recule entre deux haies parallèles de cèdres soigneusement taillés pour enfin déboucher sur la chaussée. Passant en marche avant, il lance le moteur à plein régime dans un grand crissement de pneus.

Restée sur place, Amanda regarde son auto s'éloigner dans la nuit. Bientôt la brume l'avale tout entière. Elle se retourne lentement ; ses jambes tremblent, son cœur bat la chamade. Elle augmente le volume de la radio et remet la cafetière en marche. Pour elle aussi la nuit remplie de promesses serait longue.

Même s'il y a peu de trafic, Claude Marotte, ralenti par la brume, met plus de temps qu'à l'ordinaire pour se rendre à la maison St-Marc. Son impatience s'accroît sans cesse ; ses doigts enfoncent avec régularité les touches de la radio. Il cherche au loin les lueurs rouges qui auraient témoigné de la gravité du sinistre : mais rien ne transperce l'épaisse vapeur.

Il tourne à droite sur la rue Bach. Celle-ci le conduirait tout près de la maison.

Les lampadaires améliorent quelque peu la visibilité et lui permettent d'augmenter sa vitesse sans crainte. C'est alors qu'apparaissent les premiers rougeoiements, à une distance qu'il évalue à un demi-kilomètre environ. Malgré l'étroitesse de la rue, il presse l'accélérateur aux deux tiers de sa course.

Le spectacle qui se précise constamment devant lui, à mesure qu'il s'en approche, est presque féerique. Le jeu des couleurs projetées sur le fond grisâtre du firmament a quelque chose de si irréel... Le médecin ne perçoit pas encore de flammes, mais la lumière que celles-ci dégagent remplit l'espace de teintes allant du rose clair au fuchsia. À celles-ci s'ajoutent de fugitifs éclairs bleutés dont il ignore l'origine. D'autres, d'un rouge violent, émis par les gyrophares des véhicules d'urgence, font le tour du ciel avec la régularité d'un métronome. L'effet global devient hallucinant, quelque peu psychédélique.

Mais cette féerie ne le touche pas. La scène est si lugubre. «Pourvu que tous soient sains et saufs, se répète-t-il à haute voix, les dents serrées. Pourvu...»

Il longe une dernière habitation et arrive enfin en vue de la maison St-Marc. Des véhicules encombrant la rue l'obligent à freiner brusquement et à manœuvrer par la suite avec prudence. Il résiste avec peine à jeter un regard du côté de la maison.

Devant lui, un policier bloque le passage, le forçant à écraser la pédale à fond.

— C'est interdit. Reculez !

— Je suis le docteur Marotte.

Il crie par la vitre baissée pour dominer le tintamarre assourdissant des moteurs et des sirènes.

— C'est moi qui suis en charge de cet établissement. Je dois me rendre auprès de mes malades.

Sans attendre l'assentiment de l'agent, il sort de l'auto, puis, sans refermer la portière ni même couper le contact, s'élance vers la maison.

Un sifflement strident déchire la nuit, déjà troublée par tant de sons qui, Dieu merci, lui sont étrangers. S'agit-il de renforts qui arrivent, d'une ambulance quittant rapidement les lieux de l'incendie? Il chasse de son esprit cette seconde hypothèse trop menaçante.

Marotte marche sur les pare-chocs d'automobiles stationnées trop près l'une de l'autre puis débouche dans une allée secondaire, située à l'extrémité de l'édifice. De là, il peut enfin embrasser d'un seul coup d'œil toute l'aile droite de la maison, où, du reste, l'incendie semble localisé. Celui-ci lui paraît d'ailleurs moins grave qu'il ne l'a anticipé. La brume a agi comme un miroir grossissant.

Le médecin lâche une respiration qu'il retient depuis de longues secondes. Enfin ses craintes se dissipent, au moins partiellement. D'où il est, il ne semble pas y avoir de conflagration... à moins qu'à l'intérieur les dégâts soient plus importants, à moins que le feu ait couru dans les murs pour se propager vers l'arrière de l'établissement, à moins... Vite, il doit se renseigner...

Les magnifiques pelouses entourant la maison se sont transformées en véritables marécages. Les plates-bandes et les sentiers sont devenus des zones boueuses où s'enfoncent les pieds des badauds attirés par les rumeurs de la tragédie.

Les regards se détachent difficilement des gigantesques arcs de cercle que décrivent dans le ciel rose les puissants jets d'eau projetés par les canons vers deux des fenêtres du premier étage. De là s'éjectent avec une violence inouïe des flammes qui vont lécher les boiseries extérieures richement sculptées de la corniche. Des millions de tisons volent en tous sens, poussés par la brise. On aurait dit un volcan crachant ses langues de lave.

Le docteur Marotte ferme les yeux. Il se sent abattu. Une des deux fenêtres d'où sortent les flammes est celle de la chambre de Dominique Boily... La pyromane.

Le psychiatre se souvient presque malgré lui de l'annotation la plus récente inscrite au dossier de la pensionnaire : « ... n'a rien fait de répréhensible depuis l'enfance. Considérée du point de vue strictement psychiatrique comme réhabilitée. »

L'échec de plusieurs années de thérapies et de travail de maintien visant à faire de Dominique une femme socialement bien dans sa peau et équilibrée le frappe d'une façon cuisante... Car, il se l'avoue aisément, il y aurait une forte présomption de culpabilité contre sa patiente... Mais qu'est-ce qui avait bien pu se passer dans sa petite tête ? Puis il songe qu'après tout, il peut y avoir erreur ; Dominique est peut-être étrangère à l'incendie. C'est possible, envisageable, non ? Non ! Le hasard ne fait jamais aussi mal les choses. Dominique nécessitait peut-être un encadrement bien plus précis que celui qu'il lui avait apporté. Dans ce cas, n'était-ce pas lui le véritable fautif ?

Un faible vent d'ouest arrache une fine pluie aux jets d'eau lancés dans le ciel. Cette bruine humecte Marotte et le tire de sa torpeur : lui qui reste là, les pieds cloués au sol, les yeux rivés aux flammes, a autre chose à faire. Il doit se rendre compte le plus rapidement possible de l'état de ses pensionnaires. Où sont Dominique et Léontine, sa voisine, dont la chambre est elle aussi la proie des flammes ?

Réagissant enfin, il se met à courir vers un pompier occupé près de son camion, à une quinzaine de mètres de lui, à dérouler un boyau de grand diamètre. Il doit faire attention pour ne pas glisser dans les mares de boue. Bien que parvenu à proximité du sapeur, énorme masse de caoutchouc jaune, il doit encore crier pour dominer le hurlement des sirènes dont personne ne songe à couper le contact.

— Je suis le docteur Marotte, chef de la maison. Où sont les résidents ?

Le pompier, ruisselant de toutes parts, fait un signe négatif de la tête. Il fronce des sourcils broussailleux et s'incline en s'approchant davantage du psychiatre. Celui-ci répète sa question en s'époumonant de plus belle.

Le bruit des sirènes est assourdissant. Sans un mot, la masse jaune tend un bras en direction de l'autre extrémité du vieux manoir.

En guise de remerciements, le médecin se contente de tapoter l'épaule de son informateur. Puis il s'avance vers l'aile gauche du bâtiment. D'où il est, il ne peut voir ce qui s'y passe ; un amoncellement de véhicules formant une ligne droite perpendiculaire à la maison l'en empêche.

Marotte franchit avec difficulté et impatience un attroupement de curieux. Passé cette foule compacte, il se glisse entre les véhicules abandonnés.

Un officier de police le hèle pour l'obliger à s'arrêter. Le bruit des sirènes semble moins intense ; Marotte l'entend très bien. L'homme, casqué et costumé lui aussi d'un ciré jaune lui tombant jusqu'aux genoux, s'approche de lui.

— On ne passe pas. Reculez !

— Je suis le docteur Marotte, chef de ...

— Ah ! c'est vous, docteur. On m'a prévenu il y a quelques minutes par radio-téléphone de votre arrivée. Je dois vous mener à vos pensionnaires. Si vous voulez bien me suivre.

Enfin il serait fixé. Vite il emboîte le pas à l'agent.

Malgré la fraîcheur, il transpire abondamment. Sa chemise humide colle à son dos.

Marotte crie à l'adresse du policier, une dizaine de pas devant lui :

— Y a-t-il des blessés ?

Il n'entend pas la réponse de celui-ci. L'homme s'éloigne toujours, d'une démarche rapide et souple, sans paraître se soucier de celui qu'il a pour mission de guider.

Le médecin évite adroitement un tas de boyaux jonchant le sol détrempé qui auraient pu lui faire perdre pied. Lorsque les obstacles se font moins fréquents, il en profite pour jeter de longs regards angoissés sur l'aile gauche de la bâtisse. À première vue, les flammes ont épargné cette section de l'immeuble : nulle part il ne découvre dans les fenêtres de foyers d'incendie.

La masse sombre des pierres de l'édifice, éclairée par quelques puissants projecteurs, prend un air inquiétant. Le ciel, au-dessus de la maison, perd graduellement sa teinte rosée : à l'autre bout, on a probablement maîtrisé l'incendie.

Une minute plus tard, le policier et lui, hors d'haleine, arrivent dans un petit quadrilatère. Trois des côtés de celui-ci sont constitués par autant d'ambulances en arrêt. Au centre et dans les véhicules aux panneaux arrière entrouverts, ses patients, en piteux état, sont assis pêle-mêle sur des bancs de fortune. Quelques-uns pleurent, d'autres secouent la tête de découragement.

Le psychiatre part à la course, laissant là son guide qui rebrousse chemin dans la clarté des réflecteurs.

Jeanne Mainguy était en service sur le quart de quatre heures à minuit ; bien sûr, étant donné les circonstances, elle n'a pu quitter à l'heure dite. Ses vêtements, habituellement immaculés, sont sales et défraîchis mais elle ne s'en soucie pas : elle a bien trop à faire pour cela. En entendant des pas qui s'approchent en faisant crisser les graviers, elle relève la tête. La silhouette de son patron se détache sur le fond de lumière crue des projecteurs, en arrière-scène. Toute l'enceinte de l'immeuble baigne dans une puissante lumière qui, bien qu'artificielle, est presque aussi intense que celle du jour. L'infirmière et les résidents, qu'on avait isolés dans un secteur sécuritaire, bénéficient partiellement de cette clarté.

Jeanne vient tout juste d'asseoir une résidente victime d'un léger choc nerveux. Elle tente de lui apporter réconfort et chaleur afin d'adoucir la portée de ces heures pénibles. En apercevant Marotte, elle chuchote quelques mots à son oreille. Elle saisit un cartable et se dirige vers le psychiatre.

— Des blessés, Jeanne ?

— Non, docteur. Albert Cauchon a bien quelques contusions mais ce n'est rien de sérieux. Tous ont eu plus de peur que de mal. Personne ne manque à l'appel.

Elle fait une courte pause.

— Nous avons jugé bon de donner des calmants aux patients les plus perturbés. Nous...

— C'est bien. Je suis sûr que vous avez fait pour le mieux, étant donné les circonstances.

L'infirmière esquisse un sourire. Elle fait vraiment peine à voir : ses cheveux bruns sont tout décoiffés, des taches boueuses maculent son uniforme ; ses mains sont agitées par un tremblement de fatigue qu'elle n'essaie même pas de maîtriser. Sa tension nerveuse est extrême mais elle tient le coup.

Marotte la regarde avec des yeux nouveaux : c'est devant le malheur qu'on découvre les vertus profondes des gens, pense-t-il. Dans un geste spontané, il pose une main sur l'épaule de Jeanne : son sarrau est humide ; elle grelotte.

— Dominique ? Léontine ?

Il retire sa veste et la passe sur le dos de l'infirmière.

Elle le remercie du bout des lèvres.

— Elles sont là.

De la main elle indique l'ambulance la plus éloignée.

— Si vous voulez les voir.

— Non, pas maintenant... enfin, j'irai plus tard.

Maintenant rassuré quant à la santé physique des pensionnaires, Marotte se joint au personnel de première ligne : il y a
beaucoup de soins d'ordre psychologique à prodiguer.

Tom, pour sa part, va et vient sans cesse, porteur de
couvertures dénichées on ne sait où. Il les empile à qui mieux
mieux sur les jambes et les épaules de ses compagnons. Plusieurs
de ceux-ci, le visage rendu méconnaissable par la consternation,
pleurnichent toujours. Ils réalisent la désolation du spectacle
dont ils sont les malheureux acteurs. La gravité des événements
échappe par contre à d'autres qui semblent tout à fait absents :
rien ne se lit dans leurs visages hébétés.

Pendant quelques instants, Marotte regarde ces gens avec
les yeux profanes des badauds rassemblés sur les lieux. La scène
est vraiment pathétique. Frissonnant sous leurs pyjamas ou
leurs vêtements de nuit humides, ces hommes et ces femmes
n'inspirent que pitié. Une de ces pitiés qui ne peuvent manquer
de prendre aux tripes le plus endurci des observateurs.

Claude Marotte se dit qu'au fond, son travail n'est qu'un
leurre pour la société dans laquelle il vit. Les tests les plus
perfectionnés, les savantes théories à l'étude desquelles il a
consacré ses plus belles années ne valent plus rien en cette nuit
grise. Elles s'effondrent comme un vulgaire château de cartes
face à l'étalage de malheur qu'il a sous les yeux.

*
* *

À 1 h 30, Amanda Marotte apprend par la radio que les
flammes sont sous contrôle. Une cinquantaine de minutes plus
tard, le chef des pompiers annonce à l'auditoire, d'une voix
teintée de fierté, que l'incendie est maîtrisé et qu'on va bientôt
procéder à la relocalisation des pensionnaires. Le fait qu'on
n'ait à déplorer aucun blessé, « Dieu en soit loué » avait-il dit,
fut bien sûr attribué à l'efficacité des sapeurs et secouristes
dépêchés à la maison.

Marotte, pour sa part, apprend l'ordre d'évacuation de la bouche du même agent qui lui a servi de guide à son arrivée.

— Il faudra aussi faire une inspection minutieuse de la bâtisse, ajoute-t-il, et pour cela nous aurons besoin de votre collaboration. Mes supérieurs vous feront prévenir en temps opportun...

Le policier consulte sa montre.

— Mais d'après moi, vous avez encore une bonne heure devant vous... Deux pompiers entreront dans la maison ; nous devrons attendre leur retour.

— C'est très bien, sergent Dufresne.

Marotte a lu le nom de son interlocuteur sur une petite plaque dorée épinglée à son imperméable.

— Je suis à votre entière disposition.

Après le départ du policier, le psychiatre revient sans tarder à ses pensionnaires. Ce soir, il peut dire ses « malades », songe-t-il amèrement ; ils en ont vraiment l'attitude.

Le vent, soufflant avec une force accrue, disperse sur la ville un air empuanti par l'odeur irritante de la fumée qui bientôt informera les citadins qu'un sinistre a eu lieu.

Le délai d'une heure, fixé approximativement, ne peut être respecté. Le médecin passe les deux heures suivantes à préparer le départ des résidents. Ce n'est pas là une mince tâche, qu'on réalise après un claquement de doigts. Il lui faut multiplier les téléphones depuis une voiture-patrouille qu'on lui a prêtée, réveiller diverses relations, des membres influents du conseil d'administration... Dénicher un autobus en pleine nuit n'est pas non plus chose aisée. Puis, avec les infirmières, il case tous les pensionnaires dans le véhicule qui s'ébranle vers le lieu d'accueil, en l'occurrence une école désaffectée, à l'autre extrémité de la ville. Des bénévoles et d'autres membres du personnel travaillaient depuis quelques minutes à la transformer en dortoir.

À son grand regret, Marotte ne peut quitter le parc et accompagner Dominique, Tom et les autres qui traversent la cité, escortés par des policiers-motards et des ambulances. Un pli soucieux barre son front. Assis seul dans la voiture de police, il se sent brisé de fatigue. Ce soir, il a l'impression d'avoir dix ans de plus.

Presque sans s'en rendre compte, ses doigts engourdis par le sommeil composent son propre numéro sur le clavier du téléphone. Après la première sonnerie, il reconnaît la voix nerveuse d'Amanda.

— Oui. Allô?

— Amanda? Tout va bien. Les résidents sont partis.

— Je sais. Je ne me suis pas éloignée de la radio. Et toi. Ça va?

Sa voix est inquiète.

— Ça peut aller... même si je suis vidé. Ce n'est rien. Il y en a qui sont dans un état encore plus lamentable, si tu voyais.

— Ne m'attends pas cette nuit. Dans quelques minutes, je devrai entrer dans la maison.

— Fais attention.

— Bien sûr, bien sûr... N'aie crainte. Je t'embrasse.

— Moi aussi...

Ils restent silencieux quelques secondes puis raccrochent en même temps.

*
*   *

Claude Marotte passe une main dans ses cheveux en désordre puis se redresse quelque peu pour constater l'effet de son geste dans le rétroviseur. Il ne se reconnaît plus : des cernes sombres se dessinent autour de ses yeux ; ses joues, son menton, mangés par sa barbe longue, prennent eux aussi une coloration bleuâtre. Il détourne le regard et s'adosse à nouveau à l'appui-tête en fermant les yeux. Mais cette fois, son repos est de courte durée. Quelqu'un dehors crie son nom.

Il sort de la voiture en s'emparant du manteau qu'un policier a oublié sur le siège avant. Il est bien trop grand pour lui mais c'est le moindre de ses tracas. À cette heure-là, la fraîche a quelque chose de piquant.

L'agent qu'on lui a assigné comme guide l'amène cette fois vers un gros camion blanc. Sur le côté de celui-ci, on peut lire l'inscription « Sécurité civile » en caractères noirs. Près de la porte arrière du véhicule, trois hommes s'équipent en fonction de la visite imminente des lieux de l'incendie.

Nul détail n'est laissé au hasard pour que l'expédition se déroule sans anicroche ; deux techniciens préparent et vérifient le matériel qu'ils déposent ensuite dans quatre havresacs : projecteurs et batteries, trousses de premiers soins, masques à oxygène, couteaux, haches et extincteurs légers. Au fond du camion d'urgence, un préposé décroche de longs manteaux de caoutchouc qu'il remet aux hommes de mission lorsque Marotte parvient à leur hauteur.

Un gros homme au ventre proéminent se tourne vers lui.

— Je suis le capitaine Georges Tremblay, docteur. Soyez le bienvenu.

Il désigne son voisin de droite.

— Voilà mon ami, le capitaine Genest, responsable des valeureux sapeurs que vous avec vus à l'œuvre.

L'homme, lui aussi manifestement sympathique, prend des allures de gros ourson sous le ciré qu'il vient de revêtir. Il fait un signe de tête en direction de Marotte ; ses lèvres sourient discrètement.

— B'jour, docteur !

Un préposé remet au psychiatre manteau, bottes, casque de sécurité et baladeuse. Le capitaine Tremblay lui présente le dernier membre de l'expédition, le docteur Tannhäuser. Le babillage des techniciens empêche Marotte d'entendre correctement toutes ses qualifications, mais il devine qu'il doit être chimiste. C'est lui, en tout cas, qui doit identifier la cause de l'incendie.

Sur un signal muet de Genest, ils s'acheminent donc vers le porche de l'entrée principale. Marotte a la très désagréable impression de pratiquer une autopsie, de fouiller insidieusement les entrailles d'un être cher qu'il ne réussit même pas encore à croire décédé. Cela lui donne la nausée. Dans la lumière froide qui éclaire l'édifice aux fenêtres noires comme des bouches édentées, ce n'est plus à une action positive qu'il se prépare mais à une sordide effraction.

Le groupe pénètre à l'intérieur du vieux manoir à la file indienne. L'escalier central ressemble maintenant, à cause de l'eau qui s'y écoule, à une suite ininterrompue de petites cascades. Marotte entend, quelque part dans sa tête, une musique triste et majestueuse, très lente. Un adagio de Mozart, peut-être ?

— Nous allons commencer par la section qui n'a pas été touchée, fait Tannhäuser.

Le groupe avance lentement. Le légiste scrute attentivement toutes les installations électriques qu'il rencontre ; Marotte, qui ouvre la marche, doit donc se retourner régulièrement pour ne pas distancer les autres par mégarde.

Comme prévu, la majeure partie de la maison est intacte ; inondée, bien sûr, mais intacte. Malgré son inexpérience, Marotte juge que les résidents pourront réintégrer cette partie de l'immeuble d'ici peu. Il est hors de question de prolonger indûment le séjour de ses pensionnaires au site d'accueil ; le bon fonctionnement de certains d'entre eux commande une atmosphère de stabilité constante.

Le médecin traverse l'établissement en dressant à l'endroit des spécialistes une sorte de plan verbal des lieux. Partout à l'intérieur, on entend des dizaines de gouttelettes tomber à une cadence toujours inégale. De petites rigoles se forment tandis que l'eau emprunte les moindres dénivellations des vieux planchers pour s'échapper vers les niveaux inférieurs. Au passage, elle lèche les bottes des quatre hommes.

On parvient au sommet de l'escalier, juste au-dessus du hall d'entrée. L'odeur de la fumée rend maintenant l'air presque irrespirable à mesure qu'on s'approche des chambres incendiées.

Le psychiatre s'engage dans le couloir de l'aile droite. Là, le spectacle est plus pénible, désastreux même. Il s'adosse à un chambranle. Sa tête tourne dangereusement sous l'effet combiné de l'air écœurant qui pénètre ses poumons et des émotions créées en lui par l'amas de bois calciné et de gravats qui ont remplacé les chambres de Dominique et de Léontine.

Une portion de six ou sept mètres, au centre du corridor attenant aux chambres, a brûlé complètement ; ses deux extrémités, par contre, ne présentent pas de traces directes de l'incendie, mis à part les dégâts causés par l'eau et la suie.

Le capitaine Genest passe en tête pour tester la résistance du plancher. Celui-ci supporte son poids sans problème. Il semble n'avoir souffert qu'en surface. Son aspect inquiétant est surtout dû aux millions de boursouflures noires subies par le vernis en ébullition sur lequel on a jeté des litres et des litres d'eau froide.

Un peu en retrait, le docteur Tannhäuser dirige sa lampe frontale vers un bloc-notes sorti de son havresac. Il couvre les petites pages d'une écriture fébrile et serrée.

Le mur séparant les chambres du corridor n'existe plus ; il n'en reste que quelques montants semblables à de longs tisons. Dans ce qui a été la chambre de Dominique, où se porte plus spécialement l'attention de Marotte, il ne reste plus rien. C'est à peine si on peut deviner la forme d'un lit dans ces tiges métalliques tordues.

Plus personne ne parle ; on attend tout simplement pour rebrousser chemin que Tannhäuser termine ses investigations. Ce dernier se penche, se relève, se penche encore, touche, hume, mesure des marques de calcination, attentif à des détails invisibles à ses collègues. D'une gaine de cuir, il tire un petit couteau ressemblant à un bistouri. Puis, grattant avec la dextérité d'un chirurgien, il fait tomber de petits morceaux de bois à demi consumé de la charpente dans un sac stérile. Se baissant, il répète l'opération avec le bois du plancher. Il a l'air parfaitement à l'aise dans cet environnement hostile.

— C'est bon, on y va.

Sans plus d'explications, Tannhäuser se dirige vers le centre de l'habitation. Trois minutes plus tard, les quatre hommes se retrouvent à l'extérieur, sur le palier, devant la porte de chêne. Une aube jaune et rose se lève doucement à l'horizon.

Les capitaines Genest et Tremblay s'approchent du camion et se débarrassent de leurs lourds pardessus et de leurs bottes tout en parlant le plus naturellement du monde. Tannhäuser, de son côté, ne dit rien. Marotte est également silencieux : il ne peut éliminer de son esprit les scènes du premier étage. Par quel miracle Dominique a-t-elle réussi à sortir de là ? Sa chambre

devait pourtant ressembler à une torche? Et la chaleur...
Comment y a-t-elle résisté? Des frissons de peur rétrospective
le secouent à la pensée de ce qui aurait pu arriver.

Le psychiatre regarde fixement ses bottes sans vraiment
les voir. Il appuie son dos endolori contre la calandre du gros
véhicule. Quelques secondes plus tard, Georges Tremblay le
rejoint.

— C'est un bien triste spectacle, n'est-ce-pas? On fait nos
fanfarons mais on ne s'y habitue pas vraiment. Tannhäuser, lui,
est d'une race à part.

Il désigne le chimiste d'un mouvement sec du menton.

— Vous fumez?

Il tend une cigarette qui émerge de son paquet.

— Non, merci, grommelle Marotte... Le spectacle était en
effet désolant... renversant. Je vous avoue que...

Tannhäuser vient vers eux et l'empêche de terminer sa
phrase. Parvenu à leur hauteur, il prend la parole. Sa voix
rappelle le bruit causé par deux pièces de métal qu'on aurait
frottées l'une contre l'autre.

— Quand j'aurai interprété les notes que je rapporte de là-
haut, et quelques autres résultats de tests que je compte faire
effectuer par mes hommes, je serai en mesure d'identifier la
cause exacte de l'incendie. Cependant, il grimace, je peux
d'ores et déjà vous affirmer sans risque de me tromper qu'il est
d'origine criminelle... Et d'après moi, on a utilisé un « accélérant »
pour l'allumer.

Puis, sans s'arrêter pour reprendre son souffle ou permettre
au psychiatre de s'exprimer, il continue du même élan.

— Je vous préciserai le produit employé d'ici peu. Ces
messieurs de la police vous en reparleront sûrement... Ils
auront mon rapport le plus tôt possible.

— Voilà. Mon boulot est presque terminé et le vôtre commence, n'est-ce pas ? Pour ma part, je m'en vais terminer ma nuit.

Il esquisse un salut vaguement militaire, tourne les talons et file entre les arbres vers l'autre extrémité du parc. Là, il disparaît tandis que le soleil darde un premier rayon vers la ville qui s'éveille doucement.

*
*   *

Claude Marotte est assis à une table rectangulaire, en compagnie de Dominique, à la centrale de police de Québec. On a mis à leur disposition une petite pièce d'environ trois mètres sur quatre aux murs uniformément blancs.

Depuis deux jours, la jeune femme n'a pas perdu cet air absent qu'elle arbore maintenant. Elle est si consternée que son esprit a pris la fuite. Sa tête penche vers l'avant, apparemment inutile. Ses yeux vitreux ne disent plus rien. Elle reste là, devant Marotte, affalée sur une mauvaise chaise. Il a bien tenté, verbalement bien sûr, de la secouer, mais ses efforts sont demeurés vains.

Il a réussi à taire toutes les questions qu'il souhaite poser à sa patiente en regard de l'incendie. Elle seule, du moins le pense-t-il, sait ce qui s'est passé. Personnellement, plus il y songe, plus il trouve improbable que Dominique ait allumé l'incendie dans un dessein criminel. Il n'a tout de même pas travaillé inutilement toutes ces années. Il la connaît assez pour la croire innocente malgré que les circonstances soient contre elle.

Marotte relit pour la dixième fois le rapport établi par Tannhäuser qu'un policier a déposé devant lui. Il devine les phrases du bref compte rendu à mesure qu'elles défilent sous ses yeux.

« Constatation ayant été effectuée par le signataire d'un incendie à l'édifice connu comme étant la maison St-Marc incorporée (suivaient des indications relatives à l'adresse de l'établissement, l'heure et la date des événements), ce dernier déclare, en vertu des pouvoirs qui lui sont conférés par la loi, que le sinistre dont il est fait ci-haut mention est d'origine criminelle. Des tests et analyses ont révélé que de l'essence a été utilisée comme ''accélérant''. L'incendie a pris naissance dans le corridor du premier étage, face à la chambre portant le numéro sept sur les plans et devis de l'édifice. Rapport transmis à la direction du poste de police local, au secrétariat du commissaire aux incendies de la Ville de Québec et au coroner en chef. »

Des considérations techniques et scientifiques couvrent les trois feuillets suivants, en annexe. Marotte ne les relit pas : elles constituent un charabia auquel il ne comprend rien. Au bas du document, un griffonnage illisible fait office de signature, celle d'Alex Tannhäuser, ainsi qu'un titre : chimiste.

Marotte tente de repasser froidement dans son esprit le déroulement des événements des deux derniers jours puis d'anticiper ceux qu'il aurait subséquemment à vivre.

Dès que Tannhäuser l'avait quitté, en face de la maison St-Marc, au petit matin, il avait dû accompagner le capitaine Tremblay à la centrale pour répondre aux questions d'usage. Car, déjà, aux yeux des policiers, le chimiste avait été assez explicite pour motiver une enquête approfondie. Et c'est ainsi que, de fil en aiguille, il s'était vu contraint de révéler que Dominique Boily, au cours de son enfance, avait été internée pour pyromanie. Il avait tout fait pour convaincre ses interlocuteurs de la guérison de sa cliente, faisant valoir qu'elle n'avait plus présenté de symptômes ou de signes précurseurs de récidive depuis plus de vingt ans, qu'elle était une patiente calme, discrète, secrète. Mais ses arguments étaient restés lettre morte : les enquêteurs exigèrent donc la présence de Dominique.

Le psychiatre réussit toutefois à retarder leur décision : elle ne serait appliquée que le lendemain. Il fallait donner à la jeune femme le temps de récupérer.

Comment réagirait-elle à cette arrestation puisque, au fond, c'était bien de cela qu'il s'agissait. Que croirait-elle ? Comment percevait-elle son implication dans l'incendie en son for intérieur ? Devant ces questions, Marotte doit s'avouer vaincu. Il ne peut être sûr de rien. Toutes ses connaissances ont été réduites à néant quand il a entendu la voix anonyme proférer : « ... un incendie vient de se déclarer il y a quelques minutes à peine à la maison St-Marc... »

Encore une fois il songe que la réalité est peut-être différente de celle qu'il présume : Dominique est possiblement l'auteure du sinistre. Tout le laisse même croire, il doit en convenir. Son intuition n'est peut-être rien d'autre qu'un vœu pieux, qu'une lueur d'espoir...

Il chasse vite ces pensées négatives... Devant les policiers, il doit paraître toujours aussi convaincu de l'innocence de Dominique... La moindre défaillance de sa part inciterait les représentants de la justice à soumettre la jeune femme à des interrogatoires serrés et surtout plus incisifs qui ne manqueraient pas de la perturber. Marotte l'imagine fort bien, fatiguée, apeurée, acculée au pied du mur, confuse, avouant une culpabilité dont l'auraient convaincue les inspecteurs.

Ne sachant pas précisément à quoi s'attendre, le psychiatre échafaude mentalement les situations auxquelles Dominique serait éventuellement confrontée dans les heures suivantes. Il imagine des esquisses de réponses ou d'attitudes que celle-ci devrait adopter pour s'en tirer avec le minimum de dommages psychologiques. Chose certaine, il exigerait d'assister sa patiente en tout temps, surtout pendant les interrogatoires, périodes où sa vulnérabilité atteindrait son paroxysme.

Marotte s'incline doucement vers Dominique et regarde ses mèches brunes et désordonnées. Elle n'a pas bougé depuis qu'il a terminé sa lecture du document qui lui vaut cette arrestation. Est-elle vraiment consciente du mobile de sa présence en cette pièce froide et nue, à la connotation si dramatique ? Comprend-elle que le système judiciaire portera bientôt contre elle une grave accusation ?

Le psychiatre caresse la chevelure encore roussie en certains endroits de la jeune femme. Pauvre enfant, pense-t-il, pauvre enfant.

Jamais il ne s'est abandonné auparavant à des marques de tendresse envers un de ses clients ; il considère même les gestes trahissant ses sentiments à l'égard de ceux-ci comme déplacés... Mais ça c'est de la théorie, pense-t-il. Là, c'est différent : la seule chose qui peut encore être profitable à Dominique, c'est justement cette tendresse. Elle en a tant besoin, comme d'une bouée de sauvetage. Les paroles de réconfort sont vaines : les gestes affectueux et gratuits constituent le seul abri où se réfugier. Les internés, d'ailleurs, en ont probablement tous besoin.

Quand on y pense bien, songe Marotte, cette situation est pour eux dramatique. Il fait si bon se reposer quelquefois sur quelqu'un qu'on aime, qu'on apprécie. Quoi de plus agréable que d'être réconforté dans les bras d'un ami. Eux n'ont pas cette chance. Dominique, toute sa vie, n'a pu se dire : quelqu'un pense à moi, se soucie de moi. Non, il n'y avait personne. Personne... Quel vide atroce ! Dans le cas de Dominique, les vrais coupables, selon lui, c'étaient ses parents ; s'ils avaient su l'aimer, la caresser comme lui le faisait aujourd'hui, elle ne serait pas ici en ce moment.

Tandis que sa main, inlassablement, va et vient dans les cheveux de Dominique, un souvenir triste refait subitement surface en lui. Il revoit Manon, sa fille. Elle a alors trois ans, peut-être quatre, et présente le même air sinistre que Dominique après s'être égarée dans un grand magasin. Quand il l'avait retrouvée, elle avait pleuré silencieusement et penché la tête profondément vers l'avant, dans une attitude fautive. Vraiment Dominique lui ressemble beaucoup. Il l'avait longuement et amoureusement caressée comme il le fait maintenant avec cet autre faible enfant qu'il a devant lui.

Il sursaute quand la porte de la salle s'ouvre. Perdu dans ses pensées, il n'a pas entendu frapper. Une tête grise s'avance par l'entrebâillement ; des yeux bleus jettent un regard à la dérobée. L'homme voit le médecin se retourner brusquement vers lui en se levant prestement du bras du fauteuil sur lequel il s'était juché. En même temps, comme un adolescent pris en fait, il retire précipitamment sa main droite qui vient de glisser vers la nuque de Dominique.

— Oui, fait Marotte, en guise d'invitation à entrer.

L'homme, grand, de corpulence moyenne, toussote et remonte instinctivement sur son nez effilé de petites lunettes rectangulaires lui donnant un air doctoral. Il entre dans la pièce en refermant soigneusement la porte derrière lui, lance un regard chargé de compassion à Dominique qui a redressé la tête puis porte son attention sur Marotte.

— Bonjour. Je suis Richard Deyglun, coroner adjoint.

Il tend vers le médecin une main potelée et chaleureuse dont l'index et le majeur sont tachés de jaune.

— Mais je vous en prie, assoyez-vous.

Il désigne la chaise près de Dominique et prend personnellement siège de l'autre côté de la table. Il allume avec méthode une longue cigarette et rejette artistiquement la première bouffée de fumée dans l'air en lui donnant la forme d'un beignet.

— Docteur Marotte, mademoiselle, commence-t-il en les regardant alternativement, avant de revenir au psychiatre, je serai bref mais si vous avez des questions, soyez bien à l'aise de m'interrompre.

Il s'éclaircit la voix et avale goulûment encore un peu de fumée.

— Je viens de discuter par téléphone avec le coroner en chef. Nous avons étudié avec grand intérêt le dossier de mademoiselle Boily ainsi que le rapport du docteur Tannhäuser. Or, à la lumière de ces deux documents, nous avons convenu qu'il y a présomption de culpabilité de la part de votre patiente. Celle-ci doit être mise sous arrêts. Cependant, étant donné son... son état et notre incompétence à veiller sur elle efficacement, nous proposons qu'elle reste sous vos soins et sous votre tutelle.

Il fait une courte pause, puis conclut.

— Ces conditions pourraient prévaloir jusqu'à la tenue de l'enquête officielle et probablement même pendant celle-ci. Elle devrait débuter dans quelques jours.

Deyglun se lève lentement. Il sautille légèrement d'un pied à l'autre, ne sachant plus très bien comment quitter ses interlocuteurs.

— Je suis vraiment désolé, docteur.

Dominique incline à nouveau la tête sous les regards conjugués des deux hommes. Des larmes mouillent ses joues, tombent sur sa jupe. Sa réaction avait-elle été la même 22 ans auparavant, quand on l'avait trouvée coupable d'avoir tué Rachel? Pourquoi la vie n'est-elle souvent qu'un incessant retour des choses?

XI

Des sons familiers pénètrent timidement le cerveau endormi de Claude Marotte : tintements cristallins de verres s'entrechoquant, bruits mats du couvert qu'on dépose sur la table, sifflotement grave du percolateur. Ces rumeurs matinales, alliées à la lumière du jour qui filtre à travers les rideaux, achèvent de le tirer de son sommeil.

L'odeur douceâtre et invitante du café envahit son odorat. Machinalement sa main, son bras, cherchent Amanda à ses côtés. Bien sûr elle n'y est pas. Elle est à la cuisine. Il laisse son esprit émerger du brouillard.

La fatigue nerveuse ressentie ces derniers jours l'a amené au bord de l'épuisement. C'est sa première nuit calme depuis l'incendie...

Il étire ses muscles reposés mais engourdis. Pour lutter contre sa somnolence, il tourne la tête vers la lumière extérieure et ouvre les yeux. Puis, il songe enfin à son ordre du jour de la matinée.

Le repos l'a rendu optimiste face à la somme de contrariétés qu'apporteraient les heures à venir. Il se lève lentement, se dirige vers la salle de bain adjacente à sa chambre et se douche rapidement avant de se rendre à la cuisine.

Le psychiatre avale vite son repas puis s'engouffre dans son automobile. Il doit d'abord rencontrer l'équipe choisie pour procéder à la réfection des lieux endommagés et celle qui nettoierait les dégâts causés par l'eau. Il a à discuter avec leurs représentants des « délais de livraison » de l'édifice.

Il ne reste finalement à la maison que quelques minutes. Tout va pour le mieux. Le chef de chantier, un gros homme jovial, assure Marotte que les pensionnaires pourront réintégrer leur logis dès le surlendemain. Toutefois, les chambres du premier étage, dans l'aile droite, ne seraient prêtes que la semaine suivante. Pour pallier à ce contretemps, il est décidé qu'une partie de la cafétéria sera transformée en dortoir grâce à des paravents de fortune. Ce n'est peut-être pas la solution rêvée, aux yeux du médecin, mais c'est la meilleure qu'il puisse offrir aux résidents. Au moins ceux-ci reviendraient chez eux, dans leurs meubles, entre leurs murs, au sein d'un environnement connu. Ils se sentiraient enfin en sécurité. C'est là le premier besoin à combler.

Marotte ayant rempli ses obligations à la maison, repart vers le site d'accueil de ses pensionnaires. Il a hâte d'annoncer à tous la nouvelle du retour au bercail.

*
*   *

La silhouette de Tom s'encadre dans la porte. L'Irlandais s'avance vers le médecin de sa démarche raide.

— Bonjour docteur. Ça va bien ce matin ?

Il n'a rien perdu de son sourire ni de sa bonne humeur proverbiale.

— Oui, ça va, Tom. Et toi ? En fait, ça va mieux quand je te vois. Tu me donnes toujours une dose supplémentaire de courage.

Tom rit.

— Pourtant docteur, c'est vous qui êtes censé en donner !

— Allez viens, on rentre, dit-il en passant un bras autour de ses larges épaules. J'ai des gens à voir ce matin.

Puis, se tournant vers Tom, il ajoute, en feignant de demeurer sérieux.

— Sais-tu, je pourrais peut-être te nommer assistant-psychiatre ?

Tom le regarde, interdit, puis éclate d'un grand rire découvrant des dents blanches contrastant avec son teint foncé. De petites rides très fines naissent aux extrémités de ses yeux pour disparaître peu après.

Les deux hommes pénètrent dans un couloir sans fenêtres, éclairé par des néons jaunis. Il mène à une salle de récréation qui, naguère, a grouillé d'élèves turbulents. C'est là que les résidents de St-Marc ont temporairement élu domicile.

— Oh ! docteur, je voulais vous demander, il a un petit rire gêné, est-ce que je pourrais aller à la maison, pour faire un peu de ménage, ou d'autres travaux, n'importe quoi ? Vous savez, il faut que je bouge. Je m'ennuie ici.

— Je comprends... Écoute-moi, Tom. J'arrive justement de la clinique. L'équipe de nettoyage a abattu beaucoup de besogne mais il reste sûrement quelques recoins du sous-sol qui ont été oubliés. Je peux même demander à ces gens de t'en laisser une section, si tu le désires. Tu pourras commencer bientôt puisque nous redéménageons chez nous.

Le visage de Tom s'éclaire. Il pousse quelques cris et laisse échapper son rire démesuré qui retentit avec écho dans la salle maintenant proche.

— On retourne chez nous. On retourne à la maison, clame-t-il, exubérant, en courant vers ses amis. Vous avez entendu ? On déménage à la maison.

Des pensionnaires crient eux aussi leur joie. Pendant quelques secondes, la vieille école reprend vie.

Marotte s'approche d'une infirmière que Tom n'a pas emportée dans son sillage.

— Dis-moi, tu as vu Dominique ?

Tendant un doigt vers l'autre extrémité de la salle, Thérèse lui désigne la silhouette mince de la jeune femme. Elle est assise sous une fenêtre trop haute s'ouvrant sur un ciel bleu. Là-haut, des hirondelles s'évertuent à faire des virages serrés, à la poursuite d'invisibles insectes.

Le médecin s'approche d'elle doucement. Elle paraît fragile, faible. Il a envie de la protéger.

— Bonjour Dominique, souffle-t-il, en parvenant à ses côtés. Tu as bien dormi ?

Sans même le regarder, elle hoche la tête affirmativement en balbutiant une réponse à peine audible.

— Je dois te parler, Dominique. Peux-tu m'accompagner ?

— Oui docteur.

Elle se lève, prête à le suivre et se laisse docilement conduire jusqu'au couloir d'entrée.

— Nous aurons besoin d'un endroit tranquille, dit le psychiatre.

Il ouvre une porte, au hasard. À tâtons, il cherche l'inter-rupteur contre le chambranle. La lumière diffusée par un néon frémissant dévoile une petite pièce carrée, remplie d'étagères vides. Au milieu de l'espace traîne une vieille table boiteuse, entourée de chaises. L'air embaume une odeur familière de vieille cire et de papier. Ça devait être la procure, songe-t-il.

— Viens t'asseoir, Dominique, fait Marotte en arborant un air affable.

Il s'adosse à une colonne composée de plusieurs tablettes basses et attend quelques secondes, pesant ses mots.

— Tu sais que l'enquête concernant l'incendie débutera bientôt. Je crois même que cela te bouleverse beaucoup, n'est-ce pas ?

Il guette une réaction sur le visage de sa cliente puis continue.

— Je veux simplement t'assurer que je serai toujours avec toi. Tu pourras compter sur moi en tout temps. Oh ! ce sera parfois pénible pour toi, je ne te le cache pas, mais tu ne dois pas te laisser décourager. Si cela t'arrive, n'hésite pas à te reposer sur moi.

— Tu as rencontré les policiers qui t'interrogeront, ceux qui témoigneront... Ils ne sont pas méchants. Ils ne te veulent pas de mal. Ils font leur travail et cherchent la vérité. Eh bien ! je suis certain qu'ils réaliseront vite que tu n'as rien fait de répréhensible.

Marotte se tait quelques instants et scrute à nouveau le visage de Dominique.

— Au fond je sais, moi, que tu n'es pas coupable.

Il s'approche, la contourne et, venant se planter derrière elle, met tendrement les mains sur ses épaules en signe de protection.

— Docteur, fait Dominique d'une voix étranglée, j'aimerais seulement en être aussi sûre que vous !

*
*   *

La démarche suivante est sans contredit la plus rebutante à effectuer pour le psychiatre. Il doit rencontrer Philippe et Yolande Boily pour les informer de la tournure désagréable que prennent les événements. Il songe tout d'abord à les contacter par téléphone, mais réalise que c'est là une façon bien incongrue de leur annoncer l'inculpation de leur fille. Comme toute la population, ils ont été informés de l'incendie de la maison, de sa nature également, mais le lien présumé entre celui-ci et Dominique leur a jusque-là été caché. Maintenant, à quelques heures de l'ouverture de l'enquête, sachant que la presse ferait grand état de certaines révélations, il ne peut plus les laisser dans l'ignorance.

L'accueil du couple est très froid. Manifestement les Boily ont encore en mémoire le conflit sur lequel on s'est quittés quelques mois auparavant. Marotte décide donc d'en finir au plus vite. Il livre le petit discours préparé en chemin sans même prendre soin de les ménager. Face à deux figures fermées où l'hostilité est facilement lisible, il parle sans détour.

— Monsieur, madame. Je suis désolé de vous apprendre que la police croit votre fille à l'origine de l'incendie de la maison St-Marc.

Yolande s'agrippe au bras de son mari.

— Or, continue-t-il, Dominique étant ce que les hommes de loi appellent une incapable, il revient à vous et à moi de l'aider, de la supporter. L'enquête débutera cette semaine. Je vous ferai prévenir lorsque j'aurai des coordonnées plus précises... Je veux cependant qu'une chose soit bien claire...

Il regarde Philippe Boily fixement, en fronçant les sourcils... C'est que je vous donne ces indications parce que j'y suis obligé... Si vous voulez vraiment aider Dominique, je vous en conjure, n'assistez pas à l'enquête.

— Sur ce, je vous laisse.

Il tourne les talons et marche vers la porte.

— Ah! j'oubliais, dit-il, au moment de sortir, la police pense qu'elle est coupable mais personnellement je n'en crois pas un mot... si cela peut vous rassurer.

Voilà, le tour était joué. Et, durant ces quelques minutes, les Boily n'avaient pas dit un seul mot. Il avait été dur, sec même, mais avec eux, il se sentait incapable de retenue.

*
*   *

Marotte freine doucement et scrute les façades des maisons défilant de chaque côté de l'auto. 37, 39... Il accélère quelque peu. 83. Il ralentit de nouveau. 85, 87, 89. Il range sa voiture contre le trottoir, aperçoit Évelyne Laplante qui lui fait signe de la main et descend.

— Bonjour, docteur Marotte.

Elle replace ses cheveux et lisse ses pantalons. Des outils de jardin, épars derrière elle, témoignent de son occupation.

— Alors, comment va notre Dominique aujourd'hui?

— Oh! ce n'est guère brillant, vous savez. Elle vit présentement une phase dépressive assez intense. Vous devriez d'ailleurs venir la voir. Ça lui ferait sûrement plaisir. Même si elle ne parle presque pas, une présence amicale et affectueuse ne peut que lui apporter une certaine consolation. Vous savez, la sympathie ne se manifeste pas seulement par des mots et des gestes.

— Je sais, je sais, fait Évelyne, sentencieusement.

— En fait, reprend Marotte, cette demande n'est pas le but premier de ma visite.

— Un instant, docteur. Que diriez-vous de discuter à l'intérieur, devant une tasse de café? Nous y serions plus à l'aise.

Marotte hésite une seconde puis se laisse convaincre.

— C'est gentil. J'accepte volontiers.

Évelyne s'affaire et reparaît bientôt avec deux petites tasses de porcelaine.

Il saisit la tasse qu'elle lui présente et, sur son invitation, gagne une causeuse tandis qu'elle s'assoit en face de lui.

— Alors, ce but, docteur?

— Oui! Eh bien! voici. Il est évident que Dominique, quoi qu'il arrive, quel que soit le verdict du coroner, ne pourra venir vivre avec vous dans les délais prévus. Disons que pour l'instant, sa sortie est compromise.

Voyant la déception s'inscrire sur le visage de son interlocutrice, il prend soin d'adoucir ses paroles.

— Mais je vous assure, madame Laplante, qu'il ne s'agit que d'un contretemps. Le projet n'est nullement remis en cause.

— En fait, dit Évelyne, pour être franche, je m'attendais à cette décision... C'est tout de même malheureux pour elle. Elle serait si bien ici... Soyez sans crainte, docteur, je l'attendrai. Je serai au rendez-vous même si pour cela je dois m'armer de patience.

Ils avalent silencieusement quelques gorgées. Évelyne se cale paresseusement sur ses coussins. Quelque part dans la maison, un coucou chante. Marotte regarde sa montre. Il est onze heures.

— Il y a autre chose dont je voulais vous parler, madame Laplante. Mais permettez-vous que je vous appelle Évelyne ?

Elle acquiesce.

— Bien sûr, c'est bien plus chaleureux.

— Voyez-vous Évelyne, pour défendre Dominique le plus adéquatement possible, il faudra prouver son innocence au coroner. En quelque sorte, il faudra démontrer qu'elle est guérie. Et pour cela, j'ai besoin de votre aide. Accepteriez-vous de témoigner en sa faveur, d'expliquer au coroner qui elle est au fond ?

— Docteur, je ferais n'importe quoi pour la tirer de ce mauvais pas. Vous pouvez compter sur moi.

— On pourra répliquer que vos réponses relèvent d'une perception que vous avez d'elle, mais on avisera en temps opportun. Le coroner devrait faire la part des choses... Merci Évelyne. Merci beaucoup.

*
*   *

Le local, vaste, demi-circulaire, ressemble plus à la salle de conférence d'un immeuble avant-gardiste qu'à une pièce où se déroulerait quelques minutes plus tard une enquête judiciaire. Il est meublé de quelques tables encombrées de papiers, de bouquins et de porte-documents au-dessus desquels se penchent des visages parfois rieurs, indifférents, semble-t-il, au tragique de la situation.

Près de la porte par laquelle elle est plus tôt entrée, Dominique reconnaît les inspecteurs qui l'ont interrogée lors de son passage à la centrale de police. Ils discutent entre eux, faisant monter vers le plafond des nuages de fumée grise.

D'après l'avocat que Marotte a choisi pour elle, un de ses bons amis, avait-il dit, les policiers, par le biais du procureur, reprendraient sensiblement les mêmes questions qu'ils avaient posées antérieurement. On confronterait ses réponses avec sa déposition.

« Alors vous voyez, Dominique, lui avait-il confié, vous n'avez pas à être inquiète. Vous n'aurez qu'à répéter ce que vous avez dit aux policiers. »

En fait, elle leur avait dit bien peu.

Le coroner entre dans la salle et prend siège derrière un grand bureau faisant face à l'auditoire. L'homme de loi paraît rassurant. Sa haute taille laisse dégager une force tranquille qui oxygène Dominique comme une bouffée d'air frais. Ses traits, ses vêtements dernier cri, illustrent son dynamisme.

Dès son arrivée, tous les occupants de la pièce, policiers, fonctionnaires, témoins, se rendent à leurs sièges respectifs. C'est le signal du début de l'enquête.

Le coroner Robert Turcotte avale une gorgée d'eau, s'éclaircit la voix et laisse couler un regard pénétrant sur l'assistance.

— Mesdames, messieurs, maître Morand, monsieur le procureur de la Couronne, je vous souhaite la bienvenue. Comme vous le savez, nous sommes ici non pas pour statuer sur la culpabilité ou l'innocence de mademoiselle Boily, mais bien pour définir s'il y a, dans cette affaire, matière à procès. C'est cette décision que je rendrai après l'audition des témoins.

Il a une voix basse et mélodieuse, se mariant bien avec sa corpulence.

— J'espère ne pas avoir à déplorer de propos trop mordants. J'incite donc les avocats à modérer leurs paroles de façon à tenir compte de l'état de mademoiselle Boily.

— Je veux que cette enquête se déroule dans le respect de la dignité des personnes... Nous en bénéficierons tous.

— Si maître Morand est d'accord, dit le magistrat en se tournant vers l'avocat de Dominique, nous n'entendrons pas les témoignages des policiers ayant constaté l'incendie, ni celui du docteur Tannhäuser. À moins bien sûr que vous désiriez contester les résultats de ses analyses.

— Ce n'est absolument pas notre intention, monsieur le Coroner. Nous reconnaissons ses conclusions. L'incendie est d'origine criminelle ; nous ne mettrons pas cette donnée en doute durant l'enquête.

— Merci maître. Nous économiserons un temps précieux. Alors je vous cède la parole. Quel sera votre premier témoin ?

— Ce sera madame Évelyne Laplante.

*
*   *

Morand se lève et prend un air pensif. Il fronce les sourcils.

— Madame Laplante, commence-t-il, voudriez-vous expliquer brièvement la nature des relations qui vous unissent à Dominique Boily.

— Voilà. Je l'ai rencontrée dans le cadre d'un programme mis sur pied par le docteur Marotte. Je me suis liée d'amitié avec elle. Dernièrement, de concert avec lui, j'ai décidé d'accueillir Dominique chez moi.

— Très bien. Dites-moi maintenant, au cours de ces relations, votre amie a-t-elle manifesté en quelque occasion des comportements inquiétants ou aberrants ? A-t-elle fait allusion à tout ce qui pourrait rappeler ou symboliser un incendie ?

— Je n'ai jamais rien vu ou entendu de tel. Dominique passe peut-être rapidement de la gaieté à la tristesse mais de comportements bizarres, non...

Son débit ralentit soudainement.

— Je ne vois pas.

Elle repense à Dominique en proie à une panique innommable devant une poupée!... Mais elle se tait. Elle n'a à mentionner ce fait, cet incident de parcours à personne. C'est un secret entre la jeune femme et elle. D'ailleurs, pense-t-elle, comme pour se disculper, cette anecdote n'a de valeur qu'au point de vue psychiatrique ; le coroner pourrait en faire mauvais usage. De telles précisions ne peuvent que jouer au détriment de son amie.

Évelyne est tirée de ses pensées par Morand qui continue.

— Je vais maintenant vous poser une question fondamentale.

Il redresse le torse d'un air solennel.

— Subjective mais fondamentale. Pourriez-vous, si je vous le demandais, me donner un avis éclairé sur l'éventuelle culpabilité de mademoiselle Boily et ce, malgré l'amitié que vous lui portez?

— Bien sûr. Je le pourrais.

— Donc, vous vous êtes déjà forgé une opinion sur le rôle de mademoiselle Boily dans l'incendie de la maison St-Marc. Ai-je tort?

— Non. Vous avez raison.

Il laisse s'écouler quelques longues secondes.

— Madame Laplante, je voudrais savoir si, honnêtement, au fond de vous-même, vous croyez en sa culpabilité?

— Non, pas du tout. C'est impossible qu'elle ait allumé le feu. Peut-être l'a-t-elle fait jadis, ça j'en conviens, mais maintenant qu'il y a de l'ordre dans sa vie, c'est impossible.

Évelyne tend une main tremblante d'émotion vers le verre d'eau devant elle. L'avocat lui accorde un bref répit.

— Je voudrais également que vous nous disiez, madame, si le fait qu'aujourd'hui la Justice cherche à savoir si Dominique est coupable modifie de quelque façon votre décision de l'héberger ? Ne craignez-vous pas ses gestes futurs ?

Évelyne sourit doucement.

— Dominique viendra vivre chez moi dès que ce sera possible. Je n'ai aucune inquiétude face à l'avenir. Je n'ai pas peur d'avoir à subir de comportements étranges de sa part, ni qu'elle mette le feu à ma maison, si c'est ce que vous voulez dire.

— Et si après cette enquête il y a procès, et que ce procès détermine que, contrairement à ce que vous croyez, elle est coupable ?

— Ma décision restera inchangée. Sauf votre honneur, monsieur le Coroner, elle se tourne vers ce dernier, je croirai à une erreur judiciaire.

Un bijou de témoin, se dit Morand, avec satisfaction.

— Madame Laplante, je vous remercie.

Un bruit de respirations prolongées remplit l'atmosphère. Des chaises qu'on déplace font entendre des crissements désagréables. Des briquets caquettent. Quelques toux rauques s'élèvent au-dessus du brouhaha.

— Est-ce que le procureur de la Couronne désire contre-interroger madame Laplante ? demande d'une voix forte le coroner Turcotte.

— Non, je n'ai pas de questions.

— Dans ce cas, maître Morand, je vous prie d'annoncer le nom de votre second témoin.

— Ce sera le docteur Marotte.

*

*   *

— Docteur Marotte, tout à l'heure madame Laplante nous a dit que mademoiselle Boily est guérie. Or, lorsque nous nous sommes rencontrés plus tôt, vous avez émis ce même commentaire. J'aimerais que vous nous informiez des bases sur lesquelles vous vous appuyez pour formuler cette affirmation.

— Eh bien ! voici. Depuis que mademoiselle Boily est sous mes soins et sous ma responsabilité, même depuis son entrée à la maison, elle a toujours présenté une conduite irréprochable. Oh ! certains facteurs l'ont bien perturbée de temps à autre, mais elle a réussi à les surmonter. À ma connaissance, donc, selon nos dossiers, elle n'a plus agi dans un dessein destructif depuis son enfance, depuis plus de 20 ans donc... Or, en psychiatrie, il est admis qu'un malade qui ne présente pas le comportement pour lequel il est soigné pendant un tel délai est guéri.

Morand l'interrompt.

— Vous apportez là, docteur, un argument technique. Je crois savoir que vous détenez également un élément que vous souhaitez voir reconnaître comme preuve de l'innocence de votre cliente.

— Oui. Il s'agit de la robe de chambre que Dominique portait la nuit de l'incendie. Comme vous le constaterez, elle porte de légères marques de brûlures et des traces de suie. Nous croyons que ces marques indiquent que ma patiente est sortie de sa chambre après que le feu a été allumé.

— Je ne vois pas de preuve là-dedans, intervient le procureur.

Un huissier apporte le vêtement au coroner qui l'examine longuement.

— Je m'explique. D'après le docteur Tannhäuser, l'incendie a débuté dans le couloir attenant à la chambre de Dominique. En sortant de celle-ci, elle a enjambé ou même couru dans le feu et a ainsi brûlé le bas de son vêtement. Si elle avait allumé elle-même le feu, elle serait sortie dans le corridor. Puis se retournant, elle aurait lancé une allumette derrière elle de façon à avoir la voie libre pour prendre la fuite. Ainsi, son vêtement serait intact.

— Réfléchissez un instant, monsieur le procureur, renchérit Morand, un sourire sarcastique au visage. Si vous vernissiez un plancher, vous commenceriez par un angle de la pièce en vous dirigeant vers une porte et non le contraire, n'est-ce pas ?

Un rire discret secoue l'assemblée.

— Docteur, reprend l'avocat, je ferai encore référence au témoignage de madame Laplante. Celle-ci s'est montrée si sûre de ses convictions quant à l'innocence de votre patiente qu'elle s'est dite prête à l'héberger malgré le crime dont on la suspecte aujourd'hui. Je voudrais savoir si vous, pour votre part, seriez disposé à répondre de ses agissements futurs dans le cas où vous l'autorisiez à quitter la maison ? En termes plus précis, êtes-vous convaincu de l'innocence de Dominique Boily au point de vous porter garant de ses actes si la Cour vous le demande ?

— Oui, bien sûr. Sans aucune hésitation. Je suis certain que Dominique n'a rien fait de mal... Je suis aussi persuadé que je n'aurai pas plus à la blâmer dans l'avenir.

— Merci docteur. J'ai terminé.

Le coroner enchaîne immédiatement.

— Le procureur a-t-il des questions ?

— Oui monsieur, mais ce sera bref.

— Allez-y, maître Lemelin.

Le procureur de la Couronne, jeune, moustachu, habillé d'une façon plus désinvolte que l'avocat de la défense, se lève et marche de long en large devant le témoin.

— Docteur Marotte, j'ai d'abord une question qui est en même temps une mise au point. Vous affirmiez tout à l'heure qu'après un long délai, un psychiatrisé est considéré comme guéri. Mais cela est-il formel ? Dans l'histoire de la médecine y a-t-il parfois recrudescence de la maladie ou des problèmes du malade ?

Marotte grimace.

— C'est arrivé dans de très rares cas. Il faut pour cela que le malade soit soumis à de très puissants stimuli.

L'avocat hausse le ton.

— Docteur, je ne suis pas d'accord avec vous. Laissez-moi signaler à l'attention du coroner que cela arrive au contraire assez souvent.

Il se tourne vers ce dernier.

— Je peux amener ici, si vous le jugez opportun, plusieurs spécialistes qui viendront corroborer mes dires... Mais personnellement, je crois que cela est inutile puisque le docteur Marotte vient lui-même d'avouer l'existence de tels cas... Je suis persuadé que personne ne mettra sa parole en doute, n'est-ce pas ?

— Messieurs, intervient Turcotte, d'un ton indigné, je vous prie de mettre fin à ces petites rivalités. Vous n'êtes pas ici pour vous prendre en défaut. Nous recherchons tous la vérité ; ce n'est pas par des attaques personnelles que nous la découvrirons... Maître Lemelin, avez-vous d'autres questions à poser au docteur Marotte ?

Le procureur ne répond pas directement au magistrat mais interprète sa demande comme un rappel à son devoir.

— En ce qui concerne la robe de chambre brûlée, je voudrais vous indiquer, docteur, que je ne tiens pas cet élément comme une preuve à cause de la condition de votre cliente. Sans vouloir vexer qui que ce soit, je dois dire que mademoiselle Boily, en tant que psychiatrisée, en tant que personne dont le raisonnement est donc assez équivoque, serait bien capable... il se tourne vers l'auditoire, étend les mains sur ses côtés en un geste d'impuissance... de vernir le plancher d'une pièce en s'éloignant de la porte.

— Je suis en total désaccord avec vous, réplique le psychiatre. Sachez que le cerveau de Dominique Boily, celui de n'importe quel pyromane inactif pendant vingt ans, fonctionne aussi bien que le vôtre, peut-être même mieux ! Allez chercher vos spécialistes, si vous ne me croyez pas.

Lemelin demeure si calme sous l'assaut que Marotte en est exaspéré.

— Docteur Marotte, une dernière question, reprend-il.

Il fait une courte pause puis regarde le médecin droit dans les yeux.

— Si vous êtes aussi convaincu que vous le prétendez de l'innocence de mademoiselle Boily, vous serez sans doute favorable à ce qu'elle soit soumise au détecteur de mensonges ?

La question ébranle Marotte. Il ne s'attendait pas à pareille requête. Morand qui a passé en revue avec lui les questions que le procureur était susceptible de lui poser ne l'avait pas prévue non plus. D'où il est assis, il peut d'ailleurs lire la surprise sur le visage de l'avocat. Quel piège ce jeune blanc-bec de procureur a-t-il réussi à tendre là ?

— Non, articule péniblement Marotte. Je serais contre ce procédé.

Sans manifester plus d'assurance, il continue.

— Mais pas pour les raisons que vous croyez. Par principe. Uniquement par principe.

Les secondes s'écoulent, longues comme des heures.

— Il y a trop de risques d'erreur... ou de mauvaises interprétations qui peuvent se glisser dans ce test...

Lemelin fait encore face au psychiatre. Il sourit doucement. Les deux hommes se mesurent du regard devant l'assemblée silencieuse. Marotte éprouve le sentiment amer d'être tombé tête baissée dans un guet-apens.

Si l'araignée sourit devant la mouche empêtrée dans sa toile, ça doit être de cette façon-là, pense sentencieusement Claude Marotte.

— Merci, dit le procureur d'une voix mielleuse.

*

*   *

Dominique se tasse sur la chaise droite réservée aux témoins. Ses mains tremblent ; elle les dissimule sous la table. Dans une posture devenue coutumière, sa tête pend sur sa poitrine si profondément qu'on ne distingue guère ses traits.

L'avocat a décidé de ne pas l'interroger, devinant que le procureur de la Couronne la mettra à rude épreuve. Il préfère ne pas la fatiguer. Elle aura besoin de tout son courage pour passer à travers l'interrogatoire que Lemelin a sans doute préparé.

Tout ce que Marotte espère, c'est qu'elle ne s'écroule pas littéralement. Il anticipe des questions vicieuses visant à lui faire perdre pied au-dessus du guêpier qu'est son propre désarroi.

Lemelin s'avance vers elle.

— Mademoiselle Boily, (Dominique relève la tête à l'appel de son nom ; elle paraît sortir d'un cauchemar) j'aimerais que vous racontiez aux gens ici présents les événements vécus dans la soirée de l'incendie de la maison St-Marc, en donnant le plus de détails possible.

Le procureur garde un ton doucereux. Il ne veut pas s'attirer de remarques désobligeantes de la part de Turcotte.

— Je... J'ai passé la soirée avec les autres pensionnaires, fait la jeune femme d'une voix éteinte qui force le coroner à prêter attentivement l'oreille. On m'a fait une petite fête. Ensuite, je suis montée prendre une douche avant de me coucher...

— Quelle heure était-il ?

— Je ne sais pas précisément.

On croirait que ne subsiste en Dominique que le souffle nécessaire à l'émission de quelques phrases.

— 10 heures, 10 heures 30. Je ne me rappelle pas bien. Je suis désolée.

Sa tête redescend lentement. Ses mains s'agitent de plus belle. Marotte, assis à côté de Morand, se penche vers lui.

— Elle va craquer. Ce ne sera pas long et elle va craquer.

L'avocat ne répond pas mais avance ses lèvres en cul-de-poule.

— C'est bien. Continuez maintenant.

Dominique reste bouche bée, ne sachant plus au juste quoi continuer. Les secondes s'égrènent, silencieuses ; un malaise gagne l'ensemble des participants.

— Je vous demandais de me relater les événements de la soirée, intervient le procureur.

— Ah ! oui. Où en étais-je ?

— Vous êtes allée vous coucher...

— Oui. En arrivant dans ma chambre, je me suis mise au lit. J'ai aussi pris un calmant car j'étais nerveuse... Ou était-ce plus tôt?... Un peu après, une odeur de fumée m'a réveillée. En fait, je ne suis pas certaine d'avoir dormi. Puis j'ai vu qu'il y avait une épaisse fumée dans ma chambre. J'ai crié et je suis sortie...

— Vous dites que vous ne dormiez pas ; que faisiez-vous alors, vous méditiez, peut-être ?...

La voix de Lemelin est ironique.

— Monsieur le procureur... Turcotte insiste sur la dernière syllabe d'une façon menaçante.

— Je ne sais plus très bien, prononce Dominique. Je ne sais pas.

— Quand vous êtes sortie dans le couloir, vous avez sans doute vu les flammes. Léchaient-elles déjà le bas de votre porte?

— Je ne sais plus. Vous allez trop vite. Je ne me rappelle pas bien.

Les réponses plus qu'évasives irritent Lemelin.

— Au moment de quitter votre chambre, étiez-vous chaussée?

Marotte et Morand se regardent, surpris. Dominique reste muette un court laps de temps.

— Je portais des pantoufles, je crois.

— Maître, je crois que le témoin a de plus en plus de difficulté à vous suivre, fait à nouveau le coroner.

— Soit. Je traduirai l'essence de ma question en observations. Le docteur Marotte nous a parlé de la robe de chambre que portait mademoiselle Boily, mais pas des chaussures. Or, si le vêtement était brûlé, les pantoufles devraient l'être à plus forte raison, n'est-ce pas, puisque le feu courait sur le plancher ? Pourquoi n'en a-t-il pas parlé ? Serait-ce qu'elles sont intactes ? Si tel était le cas, l'argument de la défense, monsieur le Coroner, perdrait beaucoup de force.

Marotte s'avance sur sa chaise. Morand le touche discrètement au bras. Une réponse trop impulsive ne risque que de leur nuire.

Mais le procureur continue.

— Mademoiselle, pourriez-vous m'indiquer de quelle couleur était la fumée qui s'introduisait dans votre chambre ?

— Elle était blanche, il me semble, ou grise. Enfin, de la fumée, c'est de la fumée, non ?

— Je vous ferai remarquer, en même temps qu'au coroner, qu'un feu de gazoline ou de gaz de naphte ne produit que très peu de fumée. Celle-ci, d'ailleurs, est alors plutôt noire que blanche. Or, vous avez dit, tout à l'heure que cette fumée était dense. Je trouve donc ce phénomène chimique assez curieux !... Je ne sais pas ce que vous en pensez, mais moi je crois, sans vouloir faire de jeu de mots, que votre récit est cousu de fil blanc.

Il a élevé la voix, théâtral. N'attendant pas vraiment de réponse, il enchaîne immédiatement.

— Mademoiselle Boily, avez-vous des ennemis à la maison ? Quelqu'un aurait-il pu incendier votre chambre ? Quelqu'un vous en voulait-il au point de vouloir vous tuer ? Un individu jaloux à cause de votre départ, par exemple ?

La jeune femme se recroqueville davantage sur elle-même. Les questions l'ébranlent de plus en plus. Elle n'est plus maître de ses réponses. Le peu de contrôle qui lui reste sur la représentation de la réalité s'effrite à un rythme fou.

— Non, c'est impossible, balbutie-t-elle. J'aime bien tous les gens qui vivent autour de moi.

— Je ne veux pas savoir si vous les aimez, mais si eux vous aiment! insiste Lemelin.

— Monsieur le Coroner, intervient Marotte, d'une voix mal assurée...

— Oui, docteur, le coupe ce dernier.

Ayant pressenti l'objection du psychiatre, il change d'interlocuteur.

— Monsieur le procureur, si votre agressivité persiste, le témoin ne sera plus apte à répondre à quoi que ce soit...

— Très bien. Je vous prie de m'excuser. Je vais formuler ma question autrement...

— Mademoiselle, avez-vous une idée sur l'identité de la personne qui pourrait avoir allumé l'incendie?... Un simple doute, même insignifiant, peut avoir son importance... Avez-vous vu quelqu'un près de votre chambre ce soir-là? Avez-vous noté un détail inhabituel chez un de vos compagnons?

Il prend un air faussement bonhomme.

— Au fond, entre vous et moi, si vous êtes certaine d'être innocente, vous devez savoir qui est coupable. Dans une petite communauté comme celle de la maison St-Marc, tout se sait, tout se remarque, non? Depuis le temps où vous y vivez, vous connaissez vos compagnons comme s'ils étaient vos frères et sœurs, n'est-ce pas?

Sa voix se brise littéralement.

— Je n'ai pourtant rien vu de suspect. Je vous assure.

Dominique a déjà remarqué à quel point certains de ses camarades ont développé leur connaissance de l'autre. À cause de leur lassitude, plusieurs n'ont que cela à faire: examiner leurs congénères afin éventuellement de tirer profit de leurs observations. Quelques pensionnaires qu'elle a connus, à la maison St-Marc et ailleurs auparavant étaient d'ailleurs devenus de véritables parasites : ils savaient très bien quand flatter ou menacer pour tirer profit d'un pair. La jeune femme remercie le ciel de ne pas être de ce genre.

Lemelin se tourne vers le coroner.

— Je voudrais demander une information au docteur Marotte, si vous me le permettez.

— Faites. Faites.

— Docteur, mademoiselle Boily nous dit avoir pris un calmant pendant la soirée. De quel type était-il ?

— C'était du diazépam, dix milligrammes, si je me rappelle bien.

— Ce qui veut dire, pour le profane que je suis ?...

— Du Valium, tout simplement.

— Mes connaissances en pharmacologie ne sont peut-être pas les vôtres, docteur, mais je sais que l'absorption de ce produit peut altérer la mémoire et la perception des événements. Ai-je raison ?

— Oui, c'est possible. Mais souvent cela se fait indirectement. Ce n'est pas le médicament qui altère le raisonnement mais la somnolence qu'il entraîne. Cependant lorsqu'il est question de situations graves sortant de l'ordinaire, les fonctions mentales reviennent en général très rapidement à la normale.

— N'empêche, reprend le procureur, en s'adressant au coroner et à l'auditoire, qu'il est possible que mademoiselle Boily ne se souvienne de rien et que son esprit brode des réponses presque à sa convenance.

Il fait une pause et avale lentement une gorgée d'eau. Il est temps de mettre le paquet.

Quand, il y a 20 ans, je crois, vous avez tué votre sœur, avez-vous aussi nié votre crime comme vous le faites aujourd'hui?

Lemelin parle de plus en plus vite. Son ton est sec comme s'il en avait voulu personnellement à la jeune femme.

— Qui alors s'était aperçu de votre culpabilité? Ou peut-être avez-vous avoué spontanément? J'aimerais que vous nous éclairiez à ce sujet.

Dominique bégaye une réponse incompréhensible à travers les sanglots qui affluent.

La voix du coroner s'élève.

— Maître Lemelin!

— Et maintenant, mademoiselle Boily, comment vous y prendriez-vous aujourd'hui si je vous demandais de mettre le feu à cette salle?

— C'est assez! clame Turcotte, tandis que la jeune femme s'effondre larmoyante sur sa chaise; le rappel du passé la torture.

— Docteur, s'il vous plaît, occupez-vous de votre cliente. Nous allons faire une pause.

*

*   *

Morand et Marotte sont adossés au mur dans le corridor adjacent à la salle d'audience BC-104 d'où ils sortent à peine. Tous deux, tendus, sirotent des cafés infects. Assise non loin d'eux, Dominique conserve son air abattu. Bien qu'elle soit plus calme maintenant, des spasmes douloureux lui déchirent encore la poitrine.

Les deux hommes se sont rapprochés l'un de l'autre pour conférer à voix basse.

— Il faut réagir, Claude. C'est urgent. Lemelin a réussi à t'embarquer par des questions habiles et si ça continue comme ça, à la reprise, il fera avouer n'importe quel crime à Dominique... C'est un fait que notre défense tient à bien peu de chose... Ah ! j'ai bien sous-estimé ce jeune avocat.

— Tu ne peux pas reconsidérer ton opinion sur le détecteur de mensonges ?

— Non, ça c'est impossible. C'est une solution pleine d'aléas et à mon avis sans valeur. Si tu savais en plus les risques... mais je n'ai pas le temps de te donner un cours. À la rigueur, il y aurait peut-être une autre... il y aurait peut-être l'hypnose. Cela ne présenterait pas de problèmes ultérieurs puisque Dominique ne se souviendrait de rien. Seule ma conscience en souffrirait... L'hypnose en pratique privée, ça va, mais de là à en faire un numéro...

Marotte se mordille pensivement la lèvre inférieure.

— De toute façon, ce ne serait pas la première fois que je pilerais sur mon orgueil de psychiatre... Oui, je serais prêt à faire un essai mais Dominique doit être d'accord.

— Je suis sûr qu'elle le sera. Je compte sur toi pour lui présenter cette, euh... disons opportunité, sous un jour favorable.

— Est-ce moi qui l'interrogerais ?

— Ce serait préférable de confier cette tâche à un tiers... pour une simple raison de crédibilité. Il faudrait soumettre préalablement nos questions à l'hypnotiseur ; Lemelin n'aurait qu'à faire de même. À ce propos, tu dois bien avoir des noms à suggérer au coroner, parmi tes collègues, peut-être ?

Marotte réfléchit un instant.

— Oui. Un copain de Montréal, le docteur Côté. C'est un psychiatre très solide, tu verras.

— Très bien. Allons parler à Dominique.

*
*   *

Dominique, terrassée, sans force, perçoit le monde à travers un fin treillis où se croisent ses sentiments, des illusions perdues, des réminiscences du passé et les images changeantes des événements des derniers jours. Elle a l'impression de vivoter péniblement, que son cœur, d'un moment à l'autre va omettre un battement et que ce sera la fin.

Son corps ne lui appartient plus. Les questions qu'on lui a posées, comme autant de coups de poignard, l'en ont dissocié. Elle plane maintenant au-dessus de ces épaules, de cette tête trop lourde, de ces jambes étendues mollement. Elle ne sent plus qu'une toute petite étincelle de raison quelque part en elle.

Au moment où elle va sombrer dans le désespoir, son cerveau recommence timidement à fonctionner. Rarement au cours de sa vie de prisonnière a-t-elle longé le précipice de la folie aussi longtemps, avec aussi peu de ressources. Jusqu'à aujourd'hui, elle a toujours trouvé à quoi se raccrocher, mais maintenant, sa tête est plus vide que jamais. Dominique se voit marcher sur le parapet, au sommet d'un grand immeuble. En bas, au bout du vide, il n'y a pas d'autos, de piétons, bref, de repères qui la rattachent à la réalité ; il n'y a rien... Rien... Le néant. Quand elle songe à ce néant, son esprit devient incapable de respecter les limites de la raison.

Elle éprouve un besoin irrésistible de s'accrocher à un être aimé. Si seulement Évelyne pouvait la prendre dans ses bras, la serrer comme sa mère ne l'a pas fait. Mais son amie est restée dans la salle. S'en désintéresse-t-elle maintenant ? Ses sentiments ont-ils changé ? La juge-t-elle coupable ? Mais non, voyons, elle vient d'affirmer le contraire à cet avocat. Mais si c'était un tissu de mensonges ? L'air lui manque soudainement. Elle porte les mains à sa gorge. Elle va s'étouffer et personne ne la remarque.

Personne n'a jamais fait attention à elle : il vaut mieux mourir, quitter ce monde où elle n'a jamais eu sa place.

L'air lui revient subitement. Qu'a-t-elle fait le soir maudit de l'incendie ? Ce qu'elle a raconté à tous ces importuns, là, assis dans la salle, comme au spectacle, était-ce vérité ou fabulation ? N'est-ce pas plutôt elle, la coupable comme ils le croient ? Elle est de moins en moins sûre de quoi que ce soit.

— Dominique, fait Marotte, j'ai à te parler.

*
*   *

— Monsieur le Coroner, j'aurais une déclaration à faire.

— Nous vous écoutons, maître Morand.

— Pendant la pause, nous avons convenu, le docteur Marotte, mademoiselle Boily et moi que cette dernière pourrait être soumise, non pas au détecteur de mensonges mais à des séries de questions auxquelles elle répondrait sous hypnose. Je sais que ce n'est pas là un procédé courant pour une enquête préliminaire, mais étant donné les réponses imprécises, si vous voulez, de ma cliente, nous croyons qu'il s'agit d'une solution avantageuse.

— Si vous êtes d'accord, poursuit l'avocat et si le procureur de la Couronne l'est également, nous pourrions procéder dans les plus brefs délais.

Lemelin se lève, lisse sa moustache du pouce et de l'index, en cachant sa bouche, dissimulant tant bien que mal un sourire de triomphe.

— A priori, je suis d'accord, sous réserve de connaître l'identité de l'interrogateur.

Il aimerait bien que je nomme Marotte, pense Morand, pour faire un petit scandale.

— Ce sera un psychiatre de la métropole : le docteur Côté. Nous venons de le rejoindre au téléphone. Il pourrait être ici demain.

— Ça vous va, monsieur le procureur ? fait Turcotte.

— Oui, monsieur.

— L'enquête est ajournée jusqu'à demain, 13 h 30.

XII

Tout d'abord, le lourd coffre de chêne refuse de bouger, puis s'anime imperceptiblement. Il prend finalement de la vitesse en grinçant sous la poussée, traçant de légers sillons dans la peinture du plancher.

Tom O'Farrell émet un grognement et se relève doucement en appliquant ses larges mains sur ses reins. Il essuie ensuite de sa manche les gouttes de sueur qui perlent à son front et lui piquent les yeux.

Son imagination délirante fait de lui un méchant pirate borgne nettoyant à fond la cale de son bateau; un fichu ceinturant son front, noué au-dessus de l'oreille, vient parachever l'illusion.

Les flammes elles-mêmes n'ont pas causé de dommages au sous-sol. L'eau, cependant, déversée aux étages supérieurs, y a drainé en s'écoulant poussières, cendres et saletés. Tous les objets entreposés là sont détrempés, maculés de taches indélébiles. Le bois de dizaines de caisses a enflé, les transformant en outres qui se sont ouvertes, répandant leur contenu varié sur le sol. De vieilles tables ont vu leur surface gondoler, se fendiller, les rendant irrécupérables. Dans un angle de la pièce, de gros sacs de toile suspendus au plafond par des crochets, tels de monstrueux goutte-à-goutte, laissent s'écouler une eau souillée et malodorante.

Tom halète longuement. Voilà déjà plus de deux heures qu'il travaille dans cette atmosphère humide et il ne s'est pas encore reposé. La fraîcheur sur ses bras nus lui fait du bien.

Il regarde le décor avec des yeux brillant d'excitation ; on aurait dit un enfant découvrant ses cadeaux sous l'arbre de Noël ; pourtant il n'y a là que tristesse et désolation. Que de temps il pourra passer ici, à tout remettre en état, à déplacer d'autres coffres remplis de trésors inestimables, fruits des cales de tant de vaisseaux ennemis pillés. Et il fera tout cela seul. Totalement seul. Il en est capable. Tom O'Farrell sera le seul maître à bord de son navire, après le docteur, bien entendu. Et bientôt, quand il aura terminé son travail, celui-ci sera diablement fier de lui. Il le citera sans doute comme modèle de dévouement. Il lui donnera peut-être le sous-sol ; oh ! il se contenterait de quelques petites pièces seulement, sur lesquelles il régnerait comme tout pirate sait le faire.

Des gouttes d'eau, restées prisonnières des minuscules fentes des planches veinées du plafond, tombent subitement sur lui. Instinctivement, le grand Irlandais penche la tête pour se protéger. Puis son regard accroche une gouttelette. Il la suit dans sa course le long d'une planchette inclinée supportant miraculeusement un grand nombre de bocaux. La petite goutte se fraye difficilement un chemin à travers des débris pour arriver enfin à l'extrémité. Là, elle hésite, s'arrondit, paraît se rétablir puis, après avoir vacillé un court instant, s'étire pour s'élancer dans le vide. Elle atterrit sur le dossier d'une vieille chaise berceuse décolorée, reprend sa forme originale, s'active lorsque le dossier s'arrondit puis bascule une nouvelle fois pour venir s'écraser 30 centimètres plus bas sur un petit baril debout au sol. Elle pénètre la poussière qui le tapisse, y traçant une marque sombre qui s'agrandit un moment avant de se stabiliser.

— Mon baril de poudre ! s'écrie le pirate, surexcité, en agitant ses grands bras.

— Je dois sauver ma poudre !

Il se hâte comme si le sort immédiat de son navire dépendait de sa promptitude. S'arc-boutant enfin au-dessus du baril, il bande ses muscles pour le soulever. Une odeur forte monte à ses narines. Tom grogne encore.

— Ma poudre à canon.

Dans un sursaut, il soulève le baril qui le surprend par sa légèreté.

La silhouette d'un homme, coiffé d'un étrange haut-de-forme bombé se dessine en ombre chinoise sur le mur. Le grand pirate baisse les yeux vers le sol et distingue une forme blanche que dissimulait auparavant le baril. Celui-ci était vide et recouvrait un morceau de tissu.

Tom dépose doucement son fardeau de bois derrière lui et s'incline péniblement. Il saisit le morceau entre le pouce et l'index pour l'élever lentement devant lui puis grimace, plisse le nez. Un perce-oreille détale, la lumière inondant son repaire. Tom frissonne de dégoût.

— Un vieux sarrau, fait-il à haute voix.

Il examine avec attention le vêtement mouillé et avance la tête en respirant bruyamment. En plus, cette espèce de guenille dégage une odeur écœurante, sans relation avec celle des objets exposés trop longtemps à l'humidité.

Il va rejeter le sarrau vers un tas de détritus amassés précédemment lorsqu'il remarque des taches noires au bas du vêtement. Elles ne semblent pas avoir été laissées par l'eau dans laquelle il baignait. Ma parole, pense Tom, ça ressemble aux marques de brûlures que j'ai vues sur la robe de chambre de Dominique. Et... Et on dirait que cette odeur, c'est celle du feu... Je devrais peut-être montrer ça au docteur...

Il plie grossièrement le sarrau. Soudainement, un bruit métallique attire son attention. Un objet vient de tomber d'une des poches du vêtement. Tom se penche pour le ramasser et s'arrête tout à coup, incrédule : c'est une montre... une Longines sur laquelle brillent de nombreux petits diamants.

*

*   *

Tom s'élance à toute vitesse vers l'escalier menant au rez-de-chaussée, sautant par-dessus les obstacles, glissant sur le sol humide avec un minimum de grâce et de souplesse. Il vole littéralement en escaladant les marches trois par trois. Il débouche enfin dans le corridor menant à la cuisine. On aurait dit qu'il avait tous les diables de l'enfer à ses trousses. Du hall, Irène Sanschagrin n'en revient pas de le voir en proie à une si vive agitation. Le vieux portier, debout près de là, regarde cette masse humaine hurlante et gesticulante foncer vers lui. Tom est-il devenu fou ? Il a juste le temps de se jeter de côté pour éviter la collision.

Tom bifurque vers le cabinet du docteur Marotte. Il s'écrase, hors d'haleine, momentanément incapable de parler, sur la table de travail de la secrétaire de celui-ci, dans l'espèce d'antichambre près de son bureau. Puis, tandis qu'il se relève, un pan du sarrau qu'il porte serré contre lui échappe à son emprise et souille d'un liquide sombre et malodorant les feuilles déposées méthodiquement devant la jeune femme.

— Tom ! crie-t-elle. Regarde ce que tu as fait !

Ses joues se colorent de rouge sous la colère naissante. Sa voix tonne.

— Sais-tu seulement combien il y a ...

— Je veux voir le docteur tout de suite, la coupe Tom, d'une voix aiguë.

Il relève la tête bien haut, s'enfermant dans un entêtement enfantin, de façon à ce que le regard de la secrétaire ne puisse plus rencontrer le sien. Ainsi, il n'aurait pas à se sentir coupable d'avoir perturbé son travail.

La porte s'ouvre brusquement. Claude Marotte fait irruption dans la pièce, agacé par tout ce brouhaha.

— Mais que se passe-t-il ici ? On se croirait en pleine rue.

— Je..., commence la secrétaire, l'air penaud.

— Re... regardez ce que j'ai trouvé, dit Tom. Sa nervosité le fait parler rapidement. Ses bras, ses mains, présentent des tics ridicules. Il tend avec vigueur le sarrau vers Marotte qui le reçoit en pleine poitrine.

— Qu'est-ce que c'est ? demande le psychiatre en écartant l'objet sale et dégoulinant.

Il l'observe un court moment.

— Pourquoi toute cette pagaille autour d'un vieux sarrau ? Vraiment Tom...

Je l'ai ramassé dans la cave, sous un baril. Regardez les marques.

Il désigne du doigt les traces de brûlures. Le regard du médecin se fait attentif.

— Et il y a autre chose, docteur.

Le visage de Tom blêmit. Marotte lève vers lui des yeux interrogateurs.

— Regardez dans la poche !

Le médecin enfouit sa main droite dans une poche. Depuis quelques secondes, il prend Tom au sérieux. Son excitation n'est pas feinte ; il devine que quelque chose de grave va se passer.

La poche est vide. Vite il tourne le vêtement, ou ce qui en reste et glisse sa main le long du tissu, dans l'autre poche. Ses doigts entrent en contact avec un objet froid, dur. Il le soulève lentement comme si, au fond, il craignait de le voir.

Les diamants de la Longines scintillent sous la lumière des néons. Marotte sent ses jambes s'amollir sous lui. Sa secrétaire, commotionnée, se rassit avec une extrême lenteur.

— C'est pas possible, murmure le médecin. C'est pas possible. La montre de Jean Longpré. Tom, viens me montrer tout de suite où tu as trouvé ça.

*

*   *

— Maître Morand, il est déjà 13 h 50. Désirez-vous que nous reportions l'enquête de quelques heures ? Étant donné que nous sommes tous d'accord sur la nécessité pour votre cliente que le docteur Marotte soit présent...

— Si vous le permettez, monsieur le Coroner, j'irai plutôt téléphoner à son bureau, après quoi, nous prendrons une décision.

— C'est très bien, maître. Allez-y, je vous en prie.

— Dominique, vous avez compris ? Je sors quelques minutes. Ne vous inquiétez pas. Tout va bien.

Il met amicalement sa main sur son épaule avant de la quitter. Il n'ose pas la laisser seule : elle manifeste des signes de nervosité évidents lorsque Marotte est absent.

Plus tôt, une voiture de police l'a conduite de la maison St-Marc au bureau du coroner. Son médecin devait arriver quelques minutes plus tard. Mais cela fait bien maintenant 25 minutes qu'elle l'attend et il n'arrive pas. Oh ! elle n'a rien à lui dire, mais, se sentant perdue, vulnérable, loin de lui, elle a un besoin constant de son contact, de la sécurité qu'il lui inspire.

Sans sa présence, chaque événement, si insignifiant soit-il, prend des proportions menaçantes auxquelles elle ne sait faire face.

Mais voilà que la salle s'anime. Quel est ce va-et-vient ? Une porte claque. Les gens se retournent. Des voix familières s'exclament. Est-ce celle de Tom qui résonne joyeusement à ses oreilles ? Vite, il faut sortir de cette torpeur, de ce brouillard qui l'enveloppe, la pénètre de partout.

Des pas se rapprochent. Dominique se retourne à demi. Claude Marotte est là, derrière elle, discutant avec son avocat. En retrait, Tom les suit en souriant à qui mieux mieux.

— Tom, murmure la jeune femme, pour elle-même. Que vient-il faire ici ? Je ne comprends plus.

Le psychiatre s'approche d'elle. Lui aussi arbore un large sourire.

— Bonjour Dominique. Il y a des faits nouveaux. Je t'expliquerai plus tard... Garde espoir. Tout va pour le mieux. Souris toi aussi.

Garder espoir ! Sourire ! C'est facile à dire quand on ne se souvient même pas de ses faits et gestes, quand tout vous incite à vous croire criminel. Elle a beau faire des efforts, tout demeure pour l'instant aussi noir.

Tous les occupants de la pièce prennent vite siège. Le calme s'installe. Les chuchotements se taisent les uns après les autres.

— Monsieur le Coroner, commence Morand d'une voix forte, je voudrais conférer quelques minutes en privé avec le docteur Marotte, après quoi, nous aurons sans doute une importante révélation à faire.

— Si c'est pour le bien de votre cliente et pour un avancement ainsi qu'une meilleure compréhension de la cause qui nous retient, faites comme bon vous semble, maître.

Morand tourne les talons.

— Viens Claude. Allons dans le couloir.

Puis, s'adressant à Dominique.

— Ce ne sera pas long. Cinq minutes, tout au plus.

La jeune femme donne son accord d'un signe de tête.

Les deux hommes reviennent quelques minutes plus tard.

— Maître Morand, fait le coroner Turcotte, je vous cède la parole.

— Merci, monsieur. Je ne tiendrai pas le suspense bien longtemps. Ce matin, un résident de la maison St-Marc a découvert, caché au sous-sol de l'établissement, un objet, ou plutôt deux, que nous déposons maintenant à titre de pièces à conviction accablantes, — il insiste sur ce dernier mot — de la culpabilité d'un membre du personnel de l'institution. Par voie de conséquence, elles viendront confirmer l'innocence de mademoiselle Boily. Voici les objets en question...

*
*   *

L'avocat relate à l'intention du coroner et des policiers les faits relatifs à la découverte du sarrau.

— Quant au mobile qui aurait pu pousser monsieur Longpré à commettre ce crime, nous n'en savons absolument rien, finit-il par conclure.

— Nous ne tarderons pas à le savoir, du moins je l'espère, maître Morand, car je suis bien d'accord avec vous : la présence d'un vêtement, brûlé, par surcroît, appartenant à cet infirmier, m'apparaît pour le moins suspecte.

Il se tourne vers Georges Tremblay.

— Capitaine, vous allez envoyer dans les plus brefs délais des hommes procéder à l'arrestation de cet individu.

— Très bien, monsieur.

Tout va trop vite pour Dominique. Elle n'ose comprendre. Jean aurait allumé l'incendie? Donc, ce n'était pas elle la coupable? Mais pourquoi aurait-il fait cela?

— Étant donné les circonstances, l'enquête est ajournée jusqu'à nouvel ordre.

La salle se lève d'un bloc. Des sourires illuminent de nombreux visages. Un courant de sympathie s'était développé à l'égard de la jeune femme ; maintenant que la justice reconnaît sa droiture, la tension s'abaisse de plusieurs crans.

Seul à sa table, au milieu du groupe mais pourtant isolé du reste du monde, le procureur Lemelin semble terrassé. Il regarde devant lui sans rien voir. Marotte et Morand s'approchent de lui.

— Déçu, n'est-ce pas? fait l'avocat en s'assoyant près de lui. Je sais ce que c'est. Mais vous êtes jeune. Ne vous découragez pas !

— C'était la première cause criminelle qu'on me confiait... Je voulais tellement faire bonne figure...

— Mais de quoi vous plaignez-vous? Vous avez été impressionnant.

L'autre relève la tête, cherchant la sincérité dans les yeux de son interlocuteur.

— Vous avez réussi à nous mettre en boîte, mes témoins et moi, bien que j'aie beaucoup plus d'expérience que vous... Je vous tire mon chapeau... Et dites-vous bien une chose : vous n'avez pas gagné, certes, mais moi non plus, mon cher, moi non plus... C'est la justice qui est gagnante. Nous devons tous nous en réjouir ! Allez, venez ! Dans dix ans seulement, je vous prédis que vous serez parfois plus satisfait d'une défaite que d'une victoire. Vous m'en donnerez des nouvelles...

*

*   *

Dominique, encadrée de Tom O'Farrell, Évelyne et Claude Marotte parvient à l'extérieur. L'air n'a pas eu cette saveur de liberté depuis longtemps. Peut-être un jour la goûterait-elle enfin, pense-t-elle. Avec Évelyne ? À la maison St-Marc ? Bizarrement, peu lui importe. Pour l'instant, le présent seul compte.

— Claude ! crie une voix venant du trottoir opposé.

— Laurent !

Marotte rit doucement alors que le montréalais arrive près de lui.

— Encore en retard, comme d'habitude. Tu es incorrigible.

— Oui. Je m'en excuse.

Il a l'air honteux.

— De toute façon, tu es venu pour rien.

Côté le regarde, stupéfait et voit un sourire épanoui sur le visage de Dominique.

Oh ! note que nous sommes bien contents de te voir et qu'Amanda va nous préparer un bon petit souper... Mais sache que tu t'es quand même tapé 200 et quelques kilomètres pour rien... Attends que je te raconte...

*

*   *

Quand Jean Longpré voit la voiture de police se stationner devant chez lui, il comprend que le pot aux roses vient d'être découvert. Dominique a dû raconter aux enquêteurs l'altercation qu'ils ont eue dans la salle d'eau.

Il réagit impulsivement en s'élançant pour fuir par la porte arrière du petit appartement qu'il habite sur la rue des Braves. Mais un des policiers a déjà contourné la maison et l'attend là, revolver au poing. Il se jette tête baissée dans le piège.

Effondré, épuisé par le stress et le remords qui n'ont fait que s'accroître depuis qu'il a commis son crime, il n'offre aucune résistance. Le visage ruisselant de larmes, il suit les agents et se cale sur la banquette arrière de leur automobile.

— J'ai allumé l'incendie par amour, comprenez-vous ? dit-il aux policiers. Je voulais lui prouver que je suis capable de n'importe quoi pour la garder. Et je voulais l'empêcher de partir... Elle n'avait pas le droit de me rejeter ainsi...

Ses paroles deviennent incompréhensibles. Puis, ses traits s'illuminent. Comme un dément, il passe des larmes au sourire sans transition.

— Avec le temps, j'aurais réussi... Elle m'aurait aimé aussi. Donnez-moi du temps, les gars.

Il crie presque en recommençant à pleurer.

— Donnez-moi du temps...

Les policiers échangent furtivement un sourire entendu ; l'un d'eux hoche discrètement la tête ; le message est clair : il est complètement fou ce type...

Puis le chauffeur dit à son compagnon.

— D'accord, Marc, tu peux stopper le magnétophone... Il en a assez dit.

*
*   *

Le coroner prend un air sévère.

— S'il vous plaît! J'aimerais obtenir le silence afin que nous puissions débuter.

Morand et Marotte se taisent. Tous deux sont assis de part et d'autre de Dominique. Elle est encore engourdie par une nuit blanche passée à ressasser les événements. Ceux-ci se sont déroulés à trop vive allure et l'ont laissée quelque peu confuse. Bien que sa présence, ce matin, ne soit pas véritablement requise, elle avait quand même manifesté le désir de se rendre à la salle d'enquête.

Tous les visages sont tournés vers Turcotte. Celui-ci saisit un verre d'eau et y trempe doucement les lèvres. Son regard se pose sur Dominique.

— Je veux tout d'abord confirmer à mademoiselle Boily qu'elle est lavée de tout soupçon et entièrement libre de ses faits et gestes à partir de maintenant. Aucune accusation ne sera retenue contre vous, mademoiselle. Je n'ai non plus aucune recommandation à faire à votre médecin. Selon ce qu'il m'a été donné de voir et d'entendre, il s'occupe de vous avec un dévouement et un professionnalisme qui lui font honneur.

— Pour ce qui est de l'enquête proprement dite, je me contenterai de résumer succinctement les résultats de l'interrogatoire auquel monsieur Longpré a été soumis.

Il hésite quelques instants, cherchant les termes les plus adéquats, compte tenu de la sensibilité de Dominique.

— Ce dernier nous a révélé qu'il souhaitait empêcher mademoiselle Boily de quitter la maison parce qu'il l'aimait. Il aurait agi, si vous voulez, sous l'impulsion d'une peine d'amour. Enfin, ce ne sont pas là ses paroles exactes, mais cela en reflète l'esprit, je crois...

Marotte fronce les sourcils, étonné. Il regarde Dominique furtivement. Elle ne semble pas aussi surprise que lui par ces révélations...

— Je dois noter, continue le coroner avec lenteur, mais cela est dit sous réserve car je ne suis ni psychologue ni psychiatre, que les propos de monsieur Longpré n'étaient pas très conséquents... Les liens entre les faits et les causes paraissaient plutôt obscurs.

Il prend une bouffée d'air avant de retrouver un ton plus énergique.

— Mais cela n'entame en rien la crédibilité que nous accordons à ses paroles. Tout ce qu'il a mentionné sera vérifié à la loupe. L'analyse de sa déposition est d'ailleurs déjà en cours, si bien que je peux vous l'affirmer formellement : monsieur Longpré sera accusé dans les prochaines heures.

Il se tait, la gorge sèche et avale à nouveau un peu d'eau minérale.

— Quelqu'un a-t-il des questions ?

Marotte se lève, toussote contre son poing fermé.

— Monsieur le Coroner, comment Jean Longpré dit-il avoir allumé l'incendie ?

— Eh bien ! Turcotte consulte un instant les papiers jonchant son bureau, euh... le prévenu a renversé du combustible, en l'occurrence de la gazoline, sur la porte de la chambre numéro sept, et abondamment sur le plancher devant cette porte. Ensuite, il y a mis le feu avec son briquet. La nappe de liquide s'est étendue jusqu'à ses pieds ; c'est ce qui explique les brûlures sur le sarrau. Il s'en est donc débarrassé dans un endroit où, croyait-il, il ne serait pas retrouvé.

— L'essence provenait d'un dépôt ou d'une remise, il regarde le psychiatre interrogativement, près de la maison, si j'ai bien compris.

— Y a-t-il d'autres questions, d'autres éclaircissements dont vous auriez besoin ?

L'assistance demeure muette.

— Non ? Dans ce cas, je conclurai en mentionnant qu'il y aura une nouvelle enquête bientôt. Étant donné, docteur Marotte, qu'un de vos employés est en cause, vous serez peut-être cité comme témoin.

Le médecin acquiesce.

— Par contre, je doute que mademoiselle Boily soit tenue d'y participer... Monsieur Longpré se reconnaîtra vraisemblablement coupable dès le début des assises.

Depuis une minute, Dominique ne prête plus qu'une oreille distraite aux propos du magistrat. Elle songe au futur. Il y a plusieurs jours, avenir était pour elle un mot vide de sens ; maintenant qu'on la dit innocente, elle le voit se profiler timidement à l'horizon.

Oui, cette enquête a été, à toutes fins utiles, un bienfait. Elle lui a permis d'éclaircir les événements dans sa mémoire. Tour à tour, les éléments du drame sont réapparus dans son univers mental ; ils se sont accrochés les uns aux autres, maladroitement au début, comme un mauvais casse-tête. Puis, ils se sont imbriqués plus intimement avant de prendre enfin la place où Dominique pourrait les interpréter.

Oh ! bien sûr, ceux-ci ne sont pas encore tous présents ; d'autres surviendraient plus tard pour raffiner davantage les images de son innocence. Quant à certains liens plus subtils, ils erreraient à jamais, libres, dans son subconscient.

XIII

L'univers a revêtu sa peau de glace. Rendue omniprésente par le verglas de la veille, elle a paré le décor d'une touche d'irréel. Les branches des arbres ploient sous son poids, menaçant de se casser à tout moment. La rue est devenue une vaste patinoire où les enfants glissent en riant. Partout des millions d'étoiles de neige et de glace brillent sous les lampadaires.

Sur les trottoirs, des couples d'adolescents avancent tant bien que mal en se tenant par la main, par la taille, insouciants devant la nature qui risque de leur rompre les os. D'autres, occupés à se bécoter en font une complice : elle les incite à se pelotonner davantage les uns contre les autres.

L'hiver est vraiment la saison des amoureux : les joues rouges, les lèvres humides et froides ne cherchent alors qu'à se rejoindre.

Dominique se retourne doucement. Elle est restée là longtemps, debout devant une des grandes fenêtres de l'atelier de la maison d'Évelyne, de sa maison. L'aspect féerique de l'environnement la captive tant qu'elle en oubliait de rejoindre cette dernière.

— Oh ! excuse-moi, Évelyne, fait-elle en souriant timidement, mais c'est tellement beau.

Elle jette un autre coup d'œil au paysage.

— Regarde... Tout étincelle...

Évelyne relève la tête et regarde son amie avec attendrissement. On dirait un enfant qui voit la neige pour la première fois, songe-t-elle. Sans le terreau noircissant ses mains et ses avant-bras, elle l'aurait serrée contre sa poitrine. Ces manifestations de gaieté puérile la troublent. Le Ciel fasse qu'elle conserve toujours cette capacité d'émerveillement, cette spontanéité que nous, les adultes, soi-disant normaux, perdons si tôt.

Dominique est parfois elle-même surprise de la façon dont tout l'émerveille. Ses années d'internement lui apparaissent maintenant comme celles d'un très long coma dont l'aurait réveillé Évelyne.

— C'est vrai que c'est beau. Tout à l'heure, nous irons nous promener, si tu veux.

— Se promener... sur cette glace !

Elle émet un petit gloussement aigu, en cascade. Ce rire affecté d'un soupçon de gêne lui va si bien ; quand on l'entend, limpide, clair, on ne peut qu'être envahi par une impression de pureté, de fraîcheur. C'était cela : un rire neuf qui n'avait jamais servi antérieurement.

— ... Mais c'est dangereux, poursuit-elle. Je n'ai jamais fait cela.

Dominique craint souvent les nouveautés. Cette réaction, pense Évelyne, vient de son manque total de confiance en soi, fruit de tant d'années d'institution où elle n'a rien eu à décider.

Elle ne connaît pas ses possibilités et ses limites, n'ayant jamais pu les tester.

— Qu'à cela ne tienne, réplique-t-elle joyeusement. Il y a bien une première fois à tout. Mais si tu veux que nous y allions, tu ferais mieux d'arrêter de rêver et de m'aider à rempoter ce crassula...

*

*   *

Dès l'acquittement de Dominique, les docteurs Marotte et Côté se réunissent. Il importe de déterminer pour l'immédiat quelles sont les conditions de vie les plus adéquates pour la jeune femme. Et, tenant compte de son état de tension nerveuse, ceux-ci croient bon qu'elle réintègre temporairement la maison St-Marc.

Par la même occasion, on structure à son endroit ce qu'on appelle dans le jargon de la profession, un plan d'intervention. Celui-ci viserait à renforcer rapidement, pour ne pas dire remodeler, la personnalité de Dominique : elle devait être en mesure de faire face aux contraintes de la vie sans heurts et dans les plus brefs délais. Pendant trois mois, quatre mois, peut-être moins, peut-être davantage, selon les résultats de la thérapie, on allait en quelque sorte, la survitaminer psychologiquement. Rien ne serait ménagé. Dominique a coûté à Marotte trop de peines pour qu'il agisse à la légère avec elle... Déjà qu'avec le recul, il se reproche certaines erreurs qu'il constate avoir commises.

Dominique consacre donc les premières semaines suivant la fin de l'enquête à se retrouver vraiment. Qui est-elle ? Qu'a-t-elle fait ? Qu'est-ce qu'elle n'a pas fait, surtout ? Ce sont là des questions auxquelles la soumet son médecin afin qu'elle intériorise son innocence.

Durant ces mois, Dominique sort très peu. Sa nouvelle chambre fait office de palier de décompression où son esprit peut faire le point, sans intervention extérieure autre que celle du psychiatre. De sa fenêtre, elle voit les feuilles devenir écarlates, ocre, sécher littéralement puis tomber, légères, sur le sol. Elle voit les grands érables du jardin lancer leurs samares à tous vents tandis que, très haut au-dessus de la ville, des formations en « v » de bernaches fuyant l'automne strient le ciel, y déversant une nuée d'onomatopées joyeuses, à saveur de liberté.

Et curieusement, c'est de cette nature en changement, des cris frais des enfants marchant vers l'école, des amoureux venus frauduleusement s'embrasser sous le couvert des arbres du parc que lui revient un certain équilibre. Le goût de vivre la pénètre doucement, lui fait relever la tête, esquisser un sourire.

Le personnel de la maison, les pensionnaires, la voient donc sortir petit à petit de son isolement. Marotte s'interroge... Il n'a pourtant qu'à peine entamé un traitement dont la pertinence le laisse maintenant perplexe. Sa poursuite, en dernière analyse, ne ferait que replonger Dominique au cœur des problèmes éprouvés. Au train où allaient les choses, n'était-il pas préférable de la laisser en assumer la résolution par ses propres moyens ?

Elle reprend donc sensiblement la même vie qu'elle menait avant le crime de Jean et après l'annonce que lui a faite le médecin de son déménagement prochain chez Évelyne... Un bonheur relatif l'habite. Elle n'ose ni ne souhaite vraiment le creuser ; elle se contente de le vivre au jour le jour. Certes, d'autres auraient trouvé bien mince, voire insignifiant, ce bonheur de boîte de conserve, mais Dominique, elle, se croit sincèrement comblée. Et celui-ci s'intensifie encore lorsque Claude Marotte l'avise qu'il statuera bientôt sur son sort ; après des consultations avec le docteur Côté et des membres du personnel, il lui fera part de la date à laquelle il compte la laisser quitter l'institution.

Ah ! revoir Évelyne, espérer en elle, vivre avec elle. Le seul fait d'y songer la rend muette d'émotion. À l'issue de sa période de réclusion, elle avait renoué avec elle les tendres liens qui les unissaient et que le drame avait cruellement rompus. Auparavant, tous les jours, dans sa chambre, elle avait pensé à elle avec affection. Elle s'était même surprise parfois à considérer avec une attention soutenue les véhicules identiques à celui d'Évelyne longeant la façade de la maison. Un jour, cette dernière était venue à la clinique pour prendre des nouvelles de sa protégée, la rencontrer, lui parler, peut-être... Dominique, à demi cachée derrière le rideau de sa fenêtre, l'avait suivie du regard jusqu'au porche. Elle avait alors difficilement résisté à l'envie de descendre se réfugier dans ses bras ; quelque chose en elle comprenait que le moment de la réunion n'était pas encore venu ; elle avait encore à nettoyer de larges parts de son passé.

Dominique profite aussi de ces mois passés à la maison pour créer des liens privilégiés avec Tom. Un jour, c'était peu avant Noël, où, emportés tous deux par la fougue de l'Irlandais, ils s'étaient mis à se lancer des boules de neige, elle lui avait confié, pendant une trêve : « Tom, je te dois plus qu'une fière chandelle, je te dois la liberté, la vie. » Il y avait alors une telle profondeur dans les yeux de Dominique que Tom, ému comme jamais auparavant, incapable de se dérober par la rigolade, avait tourné la tête pour cacher ses yeux humides.

Ils deviennent vite inséparables. Une complicité les pousse l'un vers l'autre. Dominique sait maintenant qu'elle souffrira doublement à son départ de la maison, mais elle sait aussi que la porte s'ouvrira sur un avenir meilleur...

Elle songe en présageant ce jour que, contrairement à ce qu'elle a jadis cru, elle ne coupera pas tous les liens avec ses camarades : elle conservera au moins ceux établis avec Tom. Naguère, elle avait décidé de rompre définitivement avec tout ce qui pourrait lui rappeler la maison et pourtant, l'enquête, l'accusation, l'avaient mise à deux doigts de ne plus en sortir. La vie servait parfois de ces leçons...

Quelques semaines plus tard, marchant avec Tom dans la large allée conduisant de la rue à la maison, Dominique voit arriver le docteur Côté. Celui-ci l'approche, souriant, et l'interroge sur son état. Elle répond non sans une certaine appréhension : cet homme l'intimide ; elle sait que son propre sort dépend partiellement, tout au moins, de son jugement.

Elle vit donc les deux heures où Marotte, Côté, Bolduc et quelques infirmières se réunissent à son sujet dans un climat de grande anxiété. Même les pitreries de Tom ne la réjouissent pas. Puis, tout à coup, les deux spécialistes apparaissent devant elle, dans le hall d'entrée.

— Bientôt, très bientôt, Dominique, dit Marotte.

Maintenant qu'elle demeure chez Évelyne depuis un mois, elle repense à ses derniers jours à la maison avec tendresse. Toutes les attentes qu'elle a eues à subir lui permettent aujourd'hui d'apprécier davantage sa quiétude. Une quiétude qui, croit-elle, constituera désormais la toile de fond de sa vie.

*

*   *

Philippe et Yolande Boily accueillent la nouvelle de l'acquittement de leur fille, que Marotte leur apporte, avec un froncement de sourcils empreint de scepticisme. On ne discute pas, on ne se réjouit pas, on le remercie simplement avec une froideur désagréable. Et lorsqu'il leur annonce que le départ de Dominique ne sera que reporté de quelques mois, il n'a pas non plus droit à la manifestation d'agressivité anticipée ! Pas d'injures ni de menaces mesquines. Le couple, après un léger haut-le-corps, reste stoïque.

Sur le chemin du retour vers sa résidence, il ne repassera pas à la maison, le psychiatre s'interroge sur ce changement d'attitude pour le moins surprenant des Boily. S'agit-il là d'une réelle modification de leur philosophie ou encore d'un leurre destiné à cacher une volonté d'intervention légale ? Peut-être après tout sa première hypothèse est-elle la bonne ? Un tiers, un abbé Bolduc, les a possiblement ramenés à des dispositions guidées par la raison ?

D'un coup de volant, il fait tourner son véhicule sur une artère achalandée puis freine brutalement pour éviter de tamponner son prédécesseur. La brunante commence à teinter le ciel. Une longue haie de lampadaires s'allume sous la poussée d'un interrupteur invisible. Çà et là, des phares d'autos trouent l'espace de leurs faisceaux.

Comme s'il avait lui aussi abaissé une manette, Marotte expulse les Boily de son esprit. Amanda vient avantageusement les y remplacer. Subitement, il est pressé de rentrer chez lui pour la retrouver. Au feu rouge, ses doigts pianotent d'impatience contre le volant au rythme de la musique diffusée par la radio. Ce soir-là, il l'aurait parié, il n'y aurait pas d'incendie à la maison St-Marc.

*
*   *

Les Fêtes passent, joyeuses, illuminées, magiques, entraînant dans leur sillage le long mois de janvier emmitouflé dans ses fourrures. Puis février vient, prometteur pour Dominique d'une vie meilleure, différente de tout ce qu'elle a connu jusque-là.

Et enfin, c'est le jour du départ. De nombreux pensionnaires, Tom en tête, portant les valises, reconduisent la jeune femme vers l'auto d'Évelyne. L'après-midi arrive à son terme. Elle se retourne vers la silhouette quelque peu rébarbative en cette heure grise de l'édifice : aux fenêtres elle reconnaît quelques amies, Marguerite agitant un mouchoir. L'abbé Bolduc et Marotte sont restés sous le porche.

Le cher abbé. La veille, elle l'a rencontré dans son petit bureau. Son calme a sur elle un effet si apaisant. Il lui a donné quelques conseils, l'a bénie.

Dominique frissonne sous son manteau trop léger. Pourtant, elle n'a pas froid...

Aujourd'hui, elle gagne une bataille, mais elle devine en avoir d'autres à livrer.

Ses compagnons se sont arrêtés à dix mètres du véhicule ; on la salue de la main, lui crie des paroles d'adieu. Abasourdie par la clameur humaine qui monte du groupe, elle ne voit plus que lui. Même assise dans la voiture, elle ne peut en détacher son regard. Maintes fois, elle a pensé vivre son départ comme une déchirure. C'est le cas, mais celle-ci ne s'opère pas de la façon qu'elle l'attendait. C'est plutôt la vue de ces gens aux agissements étranges, choquants presque, qui la déchire. Était-elle comme eux ? Quelques jours plus tôt, aurait-elle hurlé aussi des paroles banales, plus ou moins réfléchies ? Aurait-elle lancé des « tu-nous-manqueras » tombant dans l'oubli un jour ou deux plus tard ?

La voiture s'engage dans l'allée. Dominique se retourne. Dans la lunette arrière, Tom et les autres rapetissent sans cesse. Les détails de la maison se perdent dans le crépuscule. Elle ne dit rien.

Évelyne respecte son silence. Dominique vient de refermer une porte et rassemble ses forces pour en ouvrir une nouvelle toute grande.

On prend à gauche, longeant la façade de l'ancien manoir. L'auto accélérant, la maison sort du champ de vision de la jeune femme. Soupirant imperceptiblement, elle se retourne vers l'avant. Sa nuque repose contre l'appui-tête. Ses paupières saupoudrées de bleu à l'occasion de son départ se ferment tout doucement.

*
*   *

Durant son premier mois de liberté, Dominique elle-même note des changements dans son mode de pensée et ses visions du monde. Le miroir déformant qu'était la clinique n'altère plus maintenant les perceptions qu'elle a de son environnement. Chaque journée lui apporte de nouveaux motifs pour s'étonner, rire ou s'offusquer. Son besoin de tendresse longtemps réprimé est la proie d'une soif intense de caresses, de touchers, de raisons de s'émouvoir. Elle en a été tant privée. Au fond, Évelyne souhaite ne jamais voir l'aboutissement de ce besoin. Il la rend si attachante. Sans cette fragilité à fleur de peau, sans cette quête continuelle d'affection, de protection et d'émerveillement, elle l'aurait sans doute aimée d'une façon différente, moins pure, moins globale.

Évelyne prend en charge ce qu'elle appelle pompeusement l'enrichissement de la vie sociale de sa compagne. Il ne sert à rien, se dit-elle, de sortir Dominique de la maison St-Marc pour l'interner dans une prison dorée. Elle doit connaître désormais l'existence la plus normale possible. Ainsi, elle conduit la jeune femme à rencontrer ses propres amies. Elle doit, croit Évelyne, créer enfin des liens d'amitié par et pour elle-même. Elle l'initie également à des activités inconnues jusque-là illustrant la mosaïque sociale contemporaine. Celles-ci ont d'ailleurs le mérite de ne pas la laisser froide. Elle aime ou n'aime pas. Son esprit critique se développe à un rythme accéléré. En l'entendant parfois, le soir, effectuer une analyse simple mais réfléchie des événements vécus en journée, Évelyne comprend qu'elle est sur la bonne voie pour faire de sa protégée une adulte accomplie, aussi bien articulée que nombre de ses semblables. Bien sûr, elle ne sera jamais un chef de file, une personnalité forte, mais au fond, qui le lui demande ? Elle n'a qu'à être elle-même ; ainsi, elle connaîtra un bonheur relatif.

Évelyne décide également de familiariser Dominique avec la culture. Elle a toujours pris soin d'ouvrir de nombreuses avenues à ses enfants ; il n'en serait pas autrement avec son amie. Il faut qu'elle se réalise dans quelque chose. Personnellement, elle trouve une source d'épanouissement dans l'horticulture ; peut-être pour Dominique serait-ce la musique, la connaissance de la peinture, la couture ?

C'est donc dans cet ordre d'idées qu'elle entraîne Dominique à divers concerts. Des visites de musée sont également à l'agenda mais la jeune femme, malgré l'intérêt d'Évelyne face à cette activité, n'y prend aucun plaisir. En entrant dans ces bâtisses souvent sombres et ternes, elle a la sensation oppressante de faire un retour dans le passé ; elles laissent en elle un souvenir amer et inopportun qui tourmente son esprit.

Évelyne désire également que Dominique s'inscrive à des cours. « Des cours... » avait-elle répété, incrédule, ne sachant trop si son interlocutrice était sérieuse. « Des cours de quoi ? »

« Je ne sais pas, lui avait-elle répondu. Il doit bien y avoir quelque sujet qui t'intéresse et que tu aimerais approfondir ? C'est pour ton bénéfice personnel que je te fais cette suggestion, tu sais ? Apprendre, connaître... c'est une richesse. » Elle avait déposé son couteau sur le comptoir. « Personne ne possède de science infuse, Dominique. Le savoir ne descendra pas sur toi comme le Saint-Esprit si tu restes assise, impassible. Et, crois-moi, la réalisation de soi passe par le savoir. »

Dominique avait penché la tête, l'air fautif. Voilà que son inertie lui pesait.

« Voyons, ma belle, poursuivit Évelyne en mettant ses mains sur les joues de la jeune femme. Je ne te blâme pas. Je ne te réprimande pas non plus. » Elle avait la voix chantante de celui qui console un jeune enfant. « Je désire seulement que tu t'aimes davantage. »

Bien qu'elle se sente parfaitement à l'aise dans son rôle de deuxième maman, il y a néanmoins un domaine de la vie de Dominique qui souffre de retard et de latence : c'est celui de son éveil sexuel. Et, en cette matière, Évelyne se sent une intervenante fort démunie. La pauvreté du vécu de Dominique, bien qu'elle n'ait jamais abordé ce sujet avec elle, l'assimile plus à une jeune adolescente inexpérimentée qu'à une femme dans la trentaine dotée d'une certaine maturité. Vraisemblablement, tout est à faire... Mais qu'est-ce qu'Évelyne doit faire au juste ? La lancer impunément dans les bras du premier venu est bien sûr impensable. Ne pas tenir compte de cet aspect de la vie de toute femme est pour le moins aussi stupide, illusoire, et n'apporte rien de concret à Dominique sur le plan du développement personnel.

Aux yeux de la bénévole, l'apprentissage sexuel de Dominique doit être progressif et adapté à son innocence bien particulière. Devant ses propres doutes, elle pense soumettre la question à l'avis éclairé du docteur Marotte.

Depuis son départ de la maison, lors des rencontres qu'elle a faites en compagnie d'Évelyne, elle a bien sûr été abordée par des hommes. Maquillée, coiffée, bien mise, sur les conseils de son amie, elle est relativement attirante. Mais elle n'a plus ressenti de vapeurs comme autrefois ; les battements de son cœur ne se sont plus accélérés comme cela avait été le cas avec Jean. Jamais une rougeur naissante n'a redonné une carnation significative à sa peau ; jamais ses yeux n'ont rebrillé de la lumière éclatante qu'y allumait l'infirmier.

Le passage pour Dominique à cette vie nouvelle ne se fait pas sans problèmes. Elle ne peut pas se défaire sur-le-champ des souvenirs et des habitudes engendrées par les années d'institution ; elles l'ont intoxiquée comme la pire des drogues sans qu'elle s'en rende vraiment compte.

C'est avec les horaires, ou plutôt l'absence d'horaires stricts qu'elle connaît les plus grandes difficultés d'adaptation. La vie à la maison St-Marc n'a jamais été réglée comme une horloge, certes, mais au fil des ans, elle s'est néanmoins forgé une petite routine personnelle. Ainsi Dominique se voit fort perturbée par des modifications dans ses heures de sommeil. À

22 heures, chaque soir, elle tombe littéralement endormie ; pire encore, la simple constatation qu'il lui sera impossible d'être au lit à cette heure la rend d'humeur maussade.

La présence du groupe, l'intimité créée avec ses anciens camarades lui manquent aussi et ce, bien plus qu'elle ne l'a imaginé. Après tout, elle formait avec eux une grande famille.

Lorsqu'elle se sent triste en pensant à l'isolement vécu maintenant, elle se dit, pour se remettre en joie, que sa nouvelle famille, Évelyne, dépasse en qualité celle qu'elle a connue avant, y compris la sienne propre.

Philippe Boily, pas plus que son épouse d'ailleurs, n'a revisité Dominique depuis — oh ! cela fait bien longtemps pour elle — depuis l'incendie de la maison, depuis plus de six mois déjà... Si ceux-ci lui ont paru si courts, c'est qu'elle réalise maintenant pleinement combien il lui est préférable de ne plus les revoir.

Jusqu'à récemment, un parfum de culpabilité a hanté ses pensées au sujet de ses parents. Elle s'est même parfois jugée ingrate de les détester ainsi. Mais depuis qu'elle vit avec Évelyne, bien que celle-ci ne l'ait influencée en rien, ce complexe s'est graduellement estompé ; elle se sent de plus en plus sûre d'elle.

Son père avait vécu un cheminement semblable pour conclure, à l'instar de Dominique, à la rupture de tous les ponts entre lui et sa fille.

« Seules des circonstances exceptionnelles m'obligeront à la revoir », avait-il dit un jour, coléreux, en martelant une table d'un poing rageur, sous les yeux effarouchés de Yolande.

Mais cette dernière, pour une fois, était en désaccord avec son mari, bien qu'elle n'ait plus la force ni la volonté de s'y opposer. Le mois précédent, son médecin avait diagnostiqué que son manque d'entrain était dû à une légère névrose. Les anti-dépresseurs que ce dernier lui avait prescrits restaient sans effet. Yolande, elle, connaissait la source de cette inefficacité : elle ne les prenait tout simplement pas. Et lorsque Philippe lui tendait lui-même les cachets, elle les conservait entre ses dents et ses lèvres sans qu'ils entrent en contact avec sa salive jusqu'à ce qu'elle ne se sente plus épiée ; elle pouvait alors se livrer à son petit manège en les accumulant dans une petite boîte cachée sous son matelas.

Elle qui avait tant cru haïr sa fille se sentait maintenant mystérieusement attirée par celle-ci. Quelque chose en elle éprouvait un besoin quasi irrésistible de reprendre le temps perdu, de se faire pardonner. C'était comme si son instinct maternel se réveillait 30 ans plus tard... 30 ans trop tard... Elle vivait difficilement avec ce sentiment qui l'étreignait, la troublait ; elle savait qu'étant donné un tas d'obstacles inébranlables dont Philippe était le plus important, elle ne pourrait jamais donner libre cours à cet instinct.

Et pourtant, Philippe ne semblait rien remarquer. Les pensées que lui inspirait sa fille déclenchaient chez lui une passion qui l'aveuglait ; il ne voyait plus sa femme dépérir.

« Oui, seules des circonstances exceptionnelles... »

« Peut-être viendront-elles plus vite que tu ne le penses », avait-elle répondu, sentencieuse.

Dominique subit également les séquelles psychologiques de l'incendie de la maison St-Marc. Pendant un certain temps, alors que sa confusion est totale, elle en vient à se croire coupable du crime dont on l'accuse alors. Bien qu'elle se sache maintenant innocente, une tache indélébile reste en elle. Elle vit donc cette innocence comme un rêve où la réalité et la fiction se chevauchent.

À ces souvenirs pénibles, s'ajoute la mémoire des agissements de Jean. Encore aujourd'hui, ceux-ci lui donnent la nausée ; l'infirmier la hante presque. Il arrive souvent à Dominique de s'éveiller la nuit, le corps mouillé des pieds à la tête d'une transpiration salée. Ses bras, ses jambes, s'agitent alors désespérément comme si elle avait voulu fuir un ennemi invisible. Ses mains, aux doigts repliés comme les griffes d'un fauve, cherchent prise dans la surface lisse des draps. Sa tête ballotte de droite à gauche et ses lèvres murmurent des mots sans suite. L'angoissante illusion d'un ombrage, d'une présence, celle de Jean, tapi quelque part dans sa chambre, la pénètre de toutes parts : il la regarde sans se lasser. Même si elle remonte les couvertures d'un geste instinctif, son impression de nudité ne la quitte pas.

Un soir, peu après s'être couchée, Dominique tombe ainsi en transes. Elle crie le nom de Jean. Évelyne accourt aussitôt à son chevet et la réveille tout à fait pour la faire échapper à l'emprise du cauchemar. Sur le coup, elle reste silencieuse, n'opposant aux questions d'Évelyne qu'un mutisme entêté. Le lendemain, au déjeuner, et les jours suivants, celle-ci tente bien de susciter les confidences de sa protégée, mais en vain.

L'emménagement de Dominique ne perturbe pas Évelyne autant qu'elle ne l'a d'abord cru. En fait, elle change bien peu de chose à son style de vie : après tout, elle n'accueille pas un jeune enfant nécessitant une surveillance ou des soins constants ; c'est une femme, un peu spéciale peut-être mais qui, de toute façon, agira bientôt en tant que telle. Un jour, Évelyne avait été fort explicite au sujet de sa propre liberté. « Pour que ma présence auprès de toi puisse être de qualité, Dominique, il faut que je continue à vivre encore pour moi-même. Tu as des besoins, d'accord, mais j'ai aussi les miens. Et si je ne peux les combler, comment imagines-tu que je pourrai t'aider à satisfaire les tiens ? Crois-moi, ce n'est pas parce que je ne t'aime pas que je continuerai à sortir, à voir mes amis, à m'isoler ici avec mes plantes ou un livre, mais parce que cela est nécessaire à mon équilibre... Tu verras, je t'apprécierai plus ensuite... »

Malgré les mises en garde, Dominique ressent toujours un pincement au cœur lorsque Évelyne lui signifie qu'à telle ou telle occasion, elle désire être seule. Elle a alors l'impression d'être mise au rancart. Cependant, ce sentiment s'efface instantanément au retour de son amie ; leurs yeux brillent de la joie des retrouvailles tandis que la chaleur qui les unit se ravive rapidement à mesure qu'elles se rapprochent l'une de l'autre.

*

*   *

Dominique entend la voiture s'arrêter devant la maison. Seize heures ! C'est certainement Évelyne qui revient de faire les courses pour lesquelles, mystérieuse, elle a refusé de divulguer tout détail. La jeune femme sent intuitivement depuis le matin que celle-ci mijote quelque chose d'inhabituel...

Le grincement de la porte la tire de ses pensées. Évelyne lance négligemment ses bottes sur la carpette puis s'avance dans la cuisine. Elle dépose ses paquets sur la table en soupirant, enfin au bout de ses peines.

— Ouf ! Il était temps que j'arrive, dit-elle, le souffle court, la respiration bruyante.

Puis, en faisant un coq-à-l'âne :

— Dominique, j'ai une excellente nouvelle pour toi, pour nous : nous partons passer quelques jours à la montagne ! Trois ou quatre longues journées de ski, de plein air, tu te rends compte ?

La jeune femme la regarde, interdite. Elle déglutit avant de répondre lentement :

— Trois ou quatre jours de montagne ? C'est magnifique. Quand ? Avec qui ?

— Attends un peu ; laisse-moi au moins retirer mon manteau.

Elle part vers le vestibule et de là lui crie :

— Nous partons demain matin, ainsi nous pourrons profiter de l'après-midi. Deuxième question : avec qui ? Tu te souviens de mon amie Léa ?

— Oui... Celle qui enseigne l'éducation physique ?

— Exactement.

— Je m'en souviens. Elle est très gentille.

— Eh bien ! c'est une bonne chose qu'elle te plaise car c'est avec elle que nous passerons ces vacances. Elle a loué un petit chalet pour s'y réfugier quelques jours en amoureux avec son mari, mais voilà qu'elle vient d'apprendre que celui-ci ne pourra l'accompagner... Un voyage d'affaires urgent, je crois... Alors elle a pensé à nous... Le téléphone de ce matin, c'était elle.

Elle revient à la cuisine et baisse le ton.

— Je crois que tu lui as plu aussi, continue-t-elle en souriant à Dominique.

Rarement Évelyne a vu une telle joie sur le visage de son amie.

C'était Yves, de nombreuses années plus tôt, qui l'avait initiée au ski. Après son départ tragique, elle avait abandonné cette activité. Mais l'année précédente, son miroir lui avait révélé une certaine rondeur sur les hanches, des chairs devenant flasques... elle avait donc décidé de s'y remettre. Mais pratiquer un tel sport seule n'avait rien d'amusant... Ses amies ne pouvaient pas se rendre disponibles très souvent, coincées entre le travail, le mari, les enfants. Elle avait donc entrepris de faire partager à Dominique son amour pour ce sport dès son arrivée chez elle. En guise de cadeau de bienvenue, elle lui avait offert une paire de skis alpins. Et très vite, comme elle l'avait souhaité, la jeune femme, quoique malhabile du côté de la coordination, s'était passionnée pour cet exercice captivant. Les pentes, quoiqu'elle limitait ses prouesses aux plus modestes d'entre elles, lui faisaient goûter une nouvelle ivresse. Chaque départ constituait un défi. Évelyne se disait que cette activité serait peut-être pour Dominique la meilleure forme de thérapie à laquelle on l'aurait soumise pour développer son audace et lui donner du caractère. Dans la descente, même à faible allure, elle était seule face à la côte qui crissait sous ses skis. Là, pas question de compter sur l'aide d'Évelyne. À chaque instant, elle avait à prendre des décisions importantes pour sa sécurité : accélérer, ralentir, bifurquer, freiner à mort. Son cerveau avait à réfléchir plus vite que jamais.

Bien sûr, au début elle avait eu à dissiper certaines craintes ; elle avait cru ne jamais être capable de s'élancer sur les pistes, mais maintenant, elle remerciait Dieu et Évelyne de lui avoir donné une telle bravoure.

Le vent sur sa figure, balayant ses cheveux, la côte devant elle, donnaient à tout son être une sensation de liberté physique. Elle se sentait si bien ainsi. Elle se sentait si bien aussi depuis sa venue chez Évelyne. Le bleu profond du ciel, où elle avait parfois l'impression de voler, lui apparaissait si beau, si pur, qu'elle en avait les yeux remplis de larmes de bonheur...

— Alors Dominique. On fait nos valises ?

— Oui, oui, tout de suite.

La jeune femme se lève doucement. Son sourire ne la quitte pas. Elle s'avance vers Évelyne.

— Que serais-je sans toi ?... Merci, mon amie.

Elle passe les bras autour de son cou et l'embrasse en la serrant tendrement.

XIV

Un plafond de nuages bas drape le ciel de gris. Une pluie fine vient faire fondre les dernières plaques de neige sale d'avril. Des gouttes d'eau perlent aux moindres ramilles des arbustes du jardin.

Dans la rue, les autos roulent en faisant naître sur leurs côtés de puissantes gerbes d'écume boueuse qui s'élancent à l'assaut des maisons trop proches de la voie et des passants que de vaines préoccupations attirent à l'extérieur.

Des moineaux aux couleurs mornes volent çà et là en émettant des pépiements plaintifs. D'autres se réfugient sous les vérandas ou à l'abri des palissades afin d'assécher leurs plumes en les frottant du bec.

La ville, trop longtemps privée de soleil, semble en deuil. La nature dans son ensemble paraît délavée par la pluie abondante. Celle-ci laisse sur les vitres des maisons un mince film mouvant qui déforme la vision, rendant floues les images déjà ternes de l'environnement.

Dominique, assise, la tête basse, se concentre plutôt sur sa propre désolation. Elle se sent comme la nature : la lumière ne brille plus dans son regard ; s'y reflète plutôt la tristesse d'une blessure, d'une grisaille interne. Un malaise habite son cœur, sa tête.

Elle avale une gorgée de café tiède en fixant pensivement le mur beige devant elle, où pend une famille d'araignées aux feuilles vert tendre. Son esprit vagabonde du présent au passé en exécutant de grands bonds incontrôlés. Il joue avec sa mémoire, ramène des souvenirs dont elle aurait préféré se passer. Ce sera vraiment une très mauvaise journée, pense-t-elle.

En entrant dans la cuisine, Évelyne remarque immédiatement à la vue de Dominique penchée sur sa tasse que quelque chose ne va pas. Son amie connaît parfois des périodes moroses, comme tout le monde, mais jamais depuis les débuts de sa période de liberté elle n'a eu un air aussi triste.

Elle s'en approche silencieusement, glisse sa main sur la nuque en quête de caresses.

— Dominique, ma belle ! Que se passe-t-il ? Tu as l'air bien triste ?

Elle s'incline vers elle.

— Allons, raconte-moi, si tu veux...

La jeune femme relève lentement la tête, découvrant son visage aux traits las. Un pâle sourire naît sur ses lèvres pour s'évanouir aussitôt. Elle soupire profondément.

— Non, ça ne va pas ce matin. Il y a des jours où mon passé refait surface.

Elle balance la tête pour replacer les cheveux qui lui tombent sur les yeux.

— Parfois, j'aimerais me cogner le crâne quelque part pour ne plus me rappeler de rien : j'oublierais tout et tu pourrais me réapprendre à vivre, m'inventer un passé...

— Un passé de princesse, peut-être ? suggère Évelyne.

— Oh non ! Non ! Simplement un passé normal, comme le tien, comme celui de tes amies, de tes enfants.

Elle se lève enfin, va au comptoir, choisit un croissant et revient s'asseoir à sa place.

— Des croissants...

Sa figure est bizarrement inexpressive ; on aurait dit que les émotions que leur vue suscitait en elle se situaient exactement à mi-chemin entre la joie et la tristesse.

— Ça fait des années que je n'en ai pas mangé... Depuis l'Europe, je crois...

Évelyne comprend au regard absent de Dominique qu'elle n'est plus tout à fait avec elle.

— L'Europe, continue la jeune femme... Cette époque me paraît si lointaine et si proche en même temps.

Elle secoue la tête délicatement et regarde Évelyne.

— Aimerais-tu y retourner, pour un court séjour ? Beaucoup de gens aiment revoir la ville où ils sont nés, les rues où ils ont couru, la maison où ils ont grandi ?

— Oh non ! Surtout pas. Je fais des efforts pour oublier cette partie de mon existence... Hélas, ces efforts ne servent à rien.

Elle soupire à nouveau.

— Et parfois, comme ce matin, je ne peux m'empêcher d'y penser. Au moins mes parents ont maintenant la décence de ne plus venir me voir ; pendant longtemps c'est à cause d'eux que je n'ai pas pu oublier.

Dominique avale une bouchée de la pâtisserie et se tait quelques instants. Une giclée de pluie, poussée par le vent du nord-est, meuble le silence en crépitant contre une vitre.

La jeune femme quitte à nouveau son fauteuil et s'avance tout contre la fenêtre. Son haleine y dessine un rond de vapeur qui s'agrandit à chaque respiration.

— Tu vois la couleur du temps, Évelyne? Le ciel avait cette même teinte lorsque j'ai tué ma sœur, en Suisse.

Évelyne frissonne. Rien dans la voix de Dominique ne trahit ses sentiments. Même ses traits, que son amie surveille grâce à l'effet miroir de la vitre, demeurent impassibles. Elle continue en murmurant comme pour elle-même.

— Oui, la même couleur... elle précise, comme si le fait était important: mais il ne ventait pas... Il me semble qu'il neigeait aussi...

Plus ou moins consciemment, emportée par un stimulus secret, elle raconte son enfance. Le film se déroule devant ses yeux et elle le raconte. Elle doit parfois accélérer son débit; il faut faire vite car les images se succèdent rapidement. Comme toujours, elles diffèrent de ses visions précédentes, mais Dominique se contente de les commenter telles que vues, sans y ajouter quoi que ce soit.

Dominique parle fort longuement. Évelyne l'écoute sans jamais l'interrompre. Elle décrit d'abord avec juste assez de précisions le meurtre de Rachel pour faire grimacer Évelyne d'horreur. Puis, elle s'arrête plusieurs minutes sur le quotidien de ses années passées dans les asiles suisses. La jeune femme insiste davantage sur celles vécues à la maison St-Marc.

— C'est là que j'ai passé les plus beaux moments de ma vie.

De crainte de blesser Évelyne, elle ajoute:

— ... de ma vie en institution, bien sûr.

Puis ses traits s'affaissent à nouveau. Sa détresse réapparaît.

— Malheureusement, il y a eu l'incendie... Ça a été une période très difficile, tu sais.

Elle pense subitement à l'infirmier.

— Jean était un bon ami, au début...

Elle parle des relations qui les ont unis sans jamais cependant identifier avec précision la nature des sentiments éprouvés pour lui. Elle raconte des faits, des impressions, simplement, sans les analyser. Elle décrit ensuite, tout d'abord avec gêne, puis, s'enhardissant, avec assurance, son entrée dans la salle d'eau, la venue de Jean, la violence qu'elle a lue dans ses yeux, ses gestes affreux.

Lorsqu'elle se tait pour reprendre son souffle, sa gorge est sèche comme un morceau d'étoupe. Elle réalise qu'en repensant à Jean, elle a d'abord considéré l'amour, eh oui ! cela devait être de l'amour, elle devrait s'en convaincre un jour, qu'elle lui portait ; ensuite, le méfait dont elle a été la victime est revenu dans ses souvenirs. Cela avait été spontané.

Elle revit ensuite sa fuite à travers les flammes, la torpeur qui l'a habitée, lui ôtant tout sens critique au point de la faire douter de sa propre innocence.

Dominique s'arrête, épuisée.

— Maintenant, j'ai l'impression que tu sais tout de moi, conclut-elle avec un sourire hésitant.

*
* *

Évelyne prétexte un rendez-vous chez son dentiste pour quitter Dominique en début d'après-midi.

— Ça ne va pas être bien long, du moins je l'espère. Tu te débrouilleras ?

— Oui, oui. Bien sûr. Ne t'inquiète pas pour moi.

La jeune femme est sortie du mauvais envoûtement dont elle a plus tôt été l'objet. Une joie timide, tranquille, reprend ses droits. Évelyne d'ailleurs n'aurait pas abandonné son amie si sa dépression avait été aussi intense qu'à son lever.

Une fois seule, Dominique s'étend bien droite sur le canapé du salon. La maison silencieuse l'incite à la réflexion. Elle range sagement ses bras le long de son corps. Sa tête repose sur un petit traversin recouvert de velours. Elle prend une position identique à celle qu'exigeait le docteur Marotte lorsqu'il tentait de la faire voir en elle-même. Jamais elle ne lui avait ouvert son cœur, son livre de souvenirs, aussi largement qu'elle l'avait fait aujourd'hui avec Évelyne. Et ce pauvre docteur prétendait bien la connaître... Il savait au contraire si peu d'elle.

Se confier a été bénéfique ; elle se sent mieux, soulagée d'un poids. Et de toute façon, pense Dominique, son amie avait le droit de savoir ! Elle lui devait bien ça. Si quelqu'un devait tout connaître de son existence passée, cela devait bien être celle qui partagerait son futur, non ?

Oui. Plus elle y pense et plus elle se découvre allégée. Une boule de nervosité dont elle ne réalisait même plus l'existence vient de fondre quelque part entre sa poitrine et sa gorge. Elle a l'impression de respirer profondément pour la première fois depuis des années. Ses poumons, maintenant nettoyés, fonctionnent à plein régime. Son cerveau oxygéné voit de plus en plus clair. Son pessimisme s'envole.

Le fait d'avoir verbalisé à voix haute son histoire, son innocence en particulier, de l'avoir raisonnée, intégrée, pour pouvoir l'expliquer à autrui, lui a fait prendre conscience comme jamais auparavant de celle-ci. Elle n'en douterait plus dans l'avenir. L'évidence de l'erreur de jugement qu'elle a faite en se croyant coupable d'avoir allumé l'incendie la remplit d'une joie inégalée jusque-là.

Seule dans le grand salon, elle répète comme une litanie, en retenant son rire qui monte : « Ce n'est pas moi ! Ce n'est pas moi ! »

Dans sa tête, cependant, subsiste encore l'impression que quelque chose cloche au sein de ce bonheur nouveau. Le discours tenu à son amie sonnait étrangement faux. Les réalités décrites étaient-elles authentiques, inscrites dans sa propre mémoire ? Avait-elle raconté une fable forgée et polie au cours des ans ? Un maillon de la chaîne qu'était sa vie se brisait. Elle est comme l'enfant qui croit se rappeler son jouet préféré lorsqu'il était au berceau, alors qu'il se souvient plutôt d'une photo de celui-ci.

Telle est donc la nouvelle question à éclaircir : souvenir réel ou représentation approximative du passé que toutes ces phrases ? Le fait que ses visions se modifient d'une fois à l'autre la laisse perplexe et plaide en faveur de cette seconde hypothèse. Peut-être creusent-elles constamment l'écart entre la réalité et la fiction. Comment alors s'en assurer ? Comment réconcilier ces images avec la vérité ?

Dominique se concentre. Elle se sent proche de déductions de première importance.

Je croyais avoir incendié la maison St-Marc et je ne l'ai pas fait ; mon esprit m'a trompée. Qu'ai-je vraiment fait dans ma vie ?... Qu'est-ce que je n'ai pas fait ? Mon Dieu, aidez-moi ! Je veux savoir pour Rachel !...

Bah ! Probablement que je rêve encore en me faisant des illusions. Cette affaire est classée dans ma tête, pourquoi la déterrer aujourd'hui ?

Mais sa raison refuse de se rendre à ce rappel à l'ordre que lui adresse la facilité. Dominique est remplie d'une incertitude qui lui fait mal. Des larmes d'impuissance coulent le long de ses joues.

— Je me sentais coupable, répète-t-elle à voix haute, et pourtant j'avais tort.

Elle n'ose plus penser ; la conclusion qui s'impose à elle peut tellement bouleverser sa vie. Le meurtre de Rachel a toujours fait partie de son existence : étrangement, en doutant de sa propre responsabilité, elle a le sentiment qu'on lui retire une partie d'elle-même.

« Tout cela est ridicule », se répète-t-elle. Mais aussitôt, une voix mystérieuse quelque part en elle lui souffle le contraire.

Dominique se lève et marche rapidement dans la pièce. Comment savoir si elle a tort ou raison ? Si elle parle de ses doutes, on la jugera ridicule... On songera peut-être même à l'interner à nouveau, la croyant subitement devenue démente. Mieux vaut se taire, oublier. Non, pense-t-elle après réflexion. Se taire peut-être, mais pas oublier. Il faut qu'elle sache. C'est elle qu'elle doit convaincre... pas les autres. Sa tête est le théâtre d'une bousculade désordonnée.

Dominique se rend au vestibule. Au passage, ses yeux accrochent son reflet dans le miroir d'entrée. Elle se regarde avec intensité. Pour la première fois de sa vie, elle lit de la détermination dans son regard.

*
*   *

Devant Évelyne, la maison St-Marc baigne dans une atmosphère de tristesse infinie. Est-ce la pluie qui lui donne cet aspect ? Ou encore le fait qu'elle n'y a plus d'attache ?

Elle n'est pas revenue là depuis que Dominique habite avec elle. Sans presque le réaliser, elle cherche des yeux la fenêtre de la chambre ayant appartenu à son amie. Puis, retenant d'une main son chapeau contre les sursauts du vent, elle gravit énergiquement les marches du porche près desquelles pointent des perce-neige.

Claude Marotte a souvent pensé à Dominique depuis son départ. Comment allait-elle? Ses progrès étaient-ils constants? Le fait qu'Évelyne ne l'ait jamais contacté laissait songer que tout allait pour le mieux.

Il accueille Évelyne avec effusion.

— Je vous en prie, asseyez-vous, Évelyne!

— Merci, docteur, de me recevoir ainsi, sans prévenir. Je sais que votre temps est précieux...

— Justement, fait le psychiatre, étant donné qu'il est précieux, il faut savoir le consacrer à ceux qui nous apportent quelque chose...

Marotte s'assoit près d'Évelyne, dans un des fauteuils ordinairement réservés à ses visiteurs ou aux patients. Il se tourne vers elle en croisant les mains à hauteur de sa taille.

— Alors... Comment allez-vous et comment va notre amie? Vous me semblez inquiète?

— Eh bien oui! quelque chose me tracasse.

— Ah! De quoi s'agit-il?

Pendant quelques secondes, Évelyne se demande comment résumer les propos de sa protégée et faire état de ses doutes personnels.

— Dominique s'est ouverte à moi, ce matin. Ça faisait longtemps que j'attendais ce moment et il est venu, tout bonnement, sans que je m'y attende. Elle était déprimée, de mauvais poil... Mais ses confidences me laissent songeuse. Je ne les mets pas en doute. Cependant, j'ai noté de nombreuses contradictions dans son récit, des non-sens qu'elle ne relevait pas. Elle semblait passablement mêlée. J'en ai été surprise car jusqu'ici, elle avait retrouvé un certain équilibre... On aurait dit, oh! vous allez rire de moi, fait-elle, on aurait dit qu'elle me racontait la vie de quelqu'un d'autre... Je ne sais comment l'expliquer... Je me trompe peut-être, remarquez... Elle était étonnamment froide par rapport à ce qu'elle disait avoir vécu... Et pourtant, elle est habituellement si sensible. Je ne reconnaissais pas ma petite Dominique. J'ai eu l'impression, pendant son monologue, qu'elle était sortie d'elle-même, qu'elle n'habitait plus sa propre personnalité. Ensuite, elle disait aller mieux. Elle souriait.

Évelyne respire bruyamment, paraît songeuse.

— On dirait qu'elle se cherche, docteur. Elle me fait penser à des adolescents en pleine crise d'identité.

— Je ne sais plus que faire, comment la prendre. Je suis venue vous demander conseil.

Le psychiatre prend une attitude grave, séant à une consultation. Il réfléchit un long moment puis s'éclaircit la voix.

— Je pense que vous misez juste quant à vos conclusions, Évelyne. Il est vrai que Dominique a connu un passé plus dur que nous ne pouvons l'imaginer. Un passé anormal, en tout cas. Elle fait effectivement peut-être une sorte de crise d'adolescence. Et, étant donné que ce passé est confus dans son esprit, il est prévisible qu'un jour ou l'autre elle tente de le retrouver, de l'apprivoiser en quelque sorte. Certains tentent même de le revivre en recréant des épisodes marquants de leur enfance. En ce sens, une bonne psychanalyse pourrait l'aider. Cependant, elle risquerait d'interpréter ce nouveau recours à mes services comme une régression. Ça, c'est un danger. Tout est une question de nuances. Le rapport entre le risque et le bienfait est trop difficile à définir pour que nous courions des chances.

— D'autre part, le fait est qu'elle se confiera toujours plus facilement à une amie avec laquelle elle partage sa vie qu'à son médecin. La solution idéale, à mon avis, Évelyne, c'est de laisser les choses aller. Cependant vous pouvez l'aider : il faudrait que vous l'ameniez à s'interroger sur elle-même le plus souvent possible ; elle doit déblayer ses souvenirs, les dépoussiérer. Faites-les lui passer à la loupe. Alors la réalité apparaîtra et ses problèmes d'identité se résoudront peut-être.

Marotte lève les mains en signe d'impuissance.

— Cependant, je dois vous prévenir que tout cela c'est de la théorie. Je souhaite autant que vous que Dominique puisse faire la lumière sur sa vie, bien que cela puisse être dangereux. Comment dire ? Le processus de permutation entre la fiction, encore que ce ne soit là qu'une hypothèse, et la réalité qu'elle a vécue peut être dramatique. Il est possible que le passé de Dominique soit encore plus sombre que le roman qu'elle se crée. Elle a pu très bien adoucir la réalité au cours des ans. Si tel est le cas, nous pourrions regretter de l'avoir incitée à poursuivre ses réflexions... On ne sait jamais ce qu'on peut trouver derrière le miroir. Et à toutes fins utiles, c'est Dominique qui prendra la décision de le casser ou non.

*
*   *

Dominique referme avec force la portière du taxi. Il pleut tant qu'elle se serait ébrouée comme un chiot enjoué.

— Où désirez-vous que je vous dépose, madame ?

Ce titre la surprend. Elle ne répond pas immédiatement.

— Vous désirez aller où ?

— Conduisez-moi à Place Laurier, s'il vous plaît.

Le chauffeur embraye avec douceur.

L'auto roule de longues minutes en direction sud. Les nappes d'eau sur la chaussée ralentissent la vitesse de pointe.

— Vous choisissez un drôle de temps pour aller faire vos achats !...

Dominique reste muette. L'homme toussote. Un peu plus loin, à l'approche du centre commercial, il lui demande :

— Où voulez-vous descendre exactement ?

— Je ne sais pas, laissez-moi n'importe où.

La voiture s'arrête devant le mail principal. La jeune femme règle le montant de la course.

— Vous savez, ma p'tite dame, je voulais juste causer pour vous égayer. Faut pas y voir de mauvaises intentions. Vous savez, la plupart...

— Merci monsieur.

Elle claque la portière. Ce verbiage stupide l'irrite.

Ne sachant pas où diriger ses recherches, elle fait quelques pas dans le vaste hall puis s'engage dans une petite allée transversale bordée de boutiques.

Que cherche-t-elle au juste ? Elle ne sait ni le nom du magasin, ni à quel étage il se situe. Seule sa mémoire peut la guider. Elle se rappelle une devanture comme on en voit tant, une grande vitrine avec une porte à sa gauche. C'est imprécis. Et Place Laurier est si vaste. Ses couloirs forment pour elle un véritable labyrinthe.

Dominique erre longtemps, attentive, concentrée. Son anxiété augmente au fur et à mesure que s'écoulent les minutes d'insuccès. Soudain, en contournant l'angle vitré d'une boutique où des mannequins de plastique exhibent des maillots, un déclic se fait en elle. Ce nouveau corridor ne lui est pas étranger... Le but est proche. Elle s'avance à pas timides. Son regard scrute les façades des magasins. Elle les confronte à l'image restant dans sa mémoire. Tout à coup, elle sent son souffle se couper. Les passants la regardent, étonnés, mais elle ne les voit pas. Elle reste là, face à la vitrine, au milieu du passage. C'était là. C'est cet étalage, elle le reconnaît maintenant.

Elle s'approche lentement de la vitrine. Comme la première fois, l'envie de fuir précipitamment les lieux la tourmente quelques secondes, mais elle la balaye avec courage. Son cœur bat vite. Des petits néons rose bonbon éclairent d'une lumière irréelle un arrangement d'objets divers de fort mauvais goût. Elle y cherche désespérément une poupée ; celle qui l'a perturbée l'année précédente, qu'elle a vue dans les bras de Rachel vingt ans plus tôt.

À sa grande surprise, il n'y en a qu'une seule au centre de l'étalage : une grande poupée blonde, jouflue, vêtue de plusieurs crinolines de dentelles lustrées. Elle ne l'a jamais vue auparavant.

Dominique chancelle une seconde ; elle s'est tellement attendue à la trouver là qu'elle comprend mal son absence.

Un jeune enfant regarde avec méfiance cette femme dont les lèvres remuent toutes seules.

C'est impossible. Il faut qu'elle soit là. Elle cède presque à la panique. Elle a beaucoup misé sur ce jouet de caoutchouc. Il est si important.

Dominique pénètre dans le magasin.

Un vieil homme, aux cheveux blancs tout ébouriffés, s'avance vers elle. Une claudication accentuée imprime à ses épaules un mouvement de balancier.

— Je voudrais une poupée, fait Dominique d'une voix mal assurée.

Elle se retourne à demi pour montrer du doigt l'étalage derrière elle.

— Oui, oui, je vois...

L'homme se dirige vers la vitrine.

— Non. Pas celle-là. Je voudrais celle qui était exposée l'été dernier.

Le commis fronce les sourcils.

— C'est que...

— C'était une poupée noire. Une négresse, vous comprenez ?...

— Ah ! ça, madame, je n'en ai jamais eu. Vous devez faire erreur.

— Ça ne se peut pas. C'était bien ici. J'en suis certaine. Travaillez-vous dans ce magasin depuis longtemps ?

L'homme sourit.

— J'en suis le propriétaire depuis dix ans déjà. Si vous tenez absolument à avoir une poupée noire, je peux peut-être vous en commander une. Venez avec moi ; je vais vous prêter un catalogue.

Il regarde Dominique avec insistance.

— Mais que se passe-t-il ? Vous n'allez pas bien, madame ?

Dominique reste figée. L'échec de sa démarche lui donne un coup au cœur.

— Non, ça va. Merci. Je voulais juste la voir.

Elle tourne les talons et regagne le couloir sous les yeux étonnés du commis.

*
*   *

Des pigeons s'envolent avec fracas à l'approche de Dominique, la faisant sursauter. Depuis quelques minutes, elle
marche sans but. Elle doit réfléchir à ce qui lui arrive. L'absence
de la poupée ne constitue pas un échec, comme elle l'a tout
d'abord cru, mais plutôt le nouvel outil d'une difficile analyse.

Si l'homme avait raison en affirmant n'avoir jamais possédé
de poupée noire, pourquoi diable avait-elle réagi si violemment
quelques mois plus tôt? Une poupée différente de celle vue
dans les bras de Rachel aurait-elle déclenché des gestes aussi
excessifs? Il fallait le croire puisque les faits étaient là. C'était
donc dire que son esprit, là encore, l'avait trompée. Si la
poupée originale était noire, il fallait que son imagination en
ait modifié la couleur au fil des ans pour motiver son
énervement.

— Mais c'est une preuve, s'écrie Dominique.

Elle met la main devant sa bouche et hausse les épaules,
gênée de son exubérance, mais continue néanmoins à penser
tout haut. Tout est si compliqué, si confus, qu'elle doit s'expliquer à voix haute le lien ténu qu'elle vient de découvrir.

— Mon imagination m'a trahie! Comme pour l'incendie
de la maison.

Elle se met à rire à gorge déployée.

— C'est merveilleux!

Elle tournoie sur elle-même en faisant virevolter sa
sacoche.

— Mon imagination m'a trahie!

Un large sourire barre sa figure. Maintenant, il faut vite
retourner chez elle... Un dernier exercice l'y attend.

*
*   *

Dominique ne précède Évelyne que de trois ou quatre minutes. Elle n'a pas encore retiré son manteau lorsque celle-ci pénètre dans le vestibule.

— Dominique, tu sors? fait Évelyne, surprise.

— Non. Non. J'arrive à peine. Je... Je suis allée me promener.

Elle ment mal et le sait. Incapable de soutenir le regard de son amie, elle se retourne vite. Elle accroche son paletot à un cintre et marche vers la cuisine. Le coucou chante quatre fois.

— Dominique, attends.

La voix d'Évelyne est impérative.

— Qu'est-ce qui ne va pas, ma belle? Tu es si différente... Je veux revoir ma petite Dominique à moi, pas cette inconnue!

— Je ne sais pas vraiment encore, Évelyne. En fait, je ne suis sûre de rien. Je ne peux rien te dire pour l'instant. Excuse-moi, mais j'ai besoin d'être seule. Je vais dans ma chambre.

Elle fait quelques pas à reculons.

— Si je n'en sors pas pour le souper, sois gentille, ne viens pas me chercher...

Évelyne lit un étrange sentiment sur le visage de Dominique : on aurait dit que joie et peine s'y mêlaient pour lui former un masque énigmatique. Pour l'instant, elle ne peut faire autre chose qu'attendre...

*
*   *

Dominique s'assoit près de la fenêtre. C'est là, pense-t-elle, le meilleur endroit où réfléchir. De là son esprit pourra facilement franchir les barrières la séparant de son enfance.

Son enfance... C'est sans doute la première fois qu'elle veut consciemment la retrouver. Quelque chose lui fait croire qu'elle y découvrira aujourd'hui la solution au mystère qu'est sa vie. Son innocence récente et imprévue et l'erreur sur la poupée l'ont convaincue de la nécessité de remonter encore une fois dans le temps. Cela s'impose à elle. Elle ne peut plus reculer malgré ses craintes. Et dire que ce sont les confidences faites à Évelyne qui ont tout déclenché.

Elle se concentre jusqu'à l'étourdissement. Vite il faut quitter cette chambre, ne plus voir les plantes, le décor, faire la sourde oreille au tic tac du réveil.

Une image surgie du fond de sa mémoire, se manifeste enfin, au début en surimpression avec la rue, le vent, la pluie qui se découpent dans la fenêtre. Puis, peu à peu, celle-ci se précise, devient de plus en plus nette. Dominique croit presque ajuster un téléviseur. Elle procède maintenant à une nouvelle mise au point : les souvenirs transmis ne sont pas ceux recherchés.

Quelques minutes s'écoulent. Des images de toutes sortes défilent pêle-mêle devant Dominique : Rachel couchée dans son berceau ; gâteau d'anniversaire avec quatre chandelles ; arrivée, dans l'auto de son père, devant un immeuble austère, aux fenêtres garnies de barreaux. Soudain se dessine une étrange cabane, un curieux tas de déchets. On y est. C'est sa « maison ». Mon Dieu qu'elle est petite. Comment avait-elle pu s'y infiltrer ?

Les visions se bousculent : sa vraie maison, celle où elle habitait avec ses parents, apparaît devant elle, avec Rachel en avant-plan. Elle remarque que la neige tombe avec une lenteur insensée.

Dominique soupire avec mauvaise humeur. Rien jusque-là ne réussit à infirmer ou confirmer la correspondance entre son passé réel et celui qu'elle « voit ». Peut-être après tout son esprit est-il plus fidèle qu'elle ne veut le croire ? Non. C'est impossible. Il existe sûrement une faille quelque part. Elle finira bien par la découvrir.

— Ne pas se décourager ; ne pas se déconcentrer, murmure-t-elle.

Soudain, elle entre avec Rachel dans l'igloo. Celle-ci s'assoit au fond du réduit.

— Regarde la tête de la poupée, fait la petite à l'adresse de Dominique, de sa voix claire, il faudrait la recoiffer.

— D'accord ! Je vais aller porter ces sacs à main et je rapporterai une brosse... Tu m'attendras ?

— Hum ! Hum ! Déjà la fillette démêle grossièrement de ses doigts les cheveux crépus et gommeux en petites mèches.

— Ce ne sera pas long.

Elle sort du cagibi en rampant à reculons. Les sacoches glissent devant elle sur le sol gelé. Une fois à l'extérieur elle s'en charge les bras et marche vers la maison, à une centaine de mètres de là.

Mais Dominique s'attarde en chemin. Elle montre fièrement ses trouvailles aux regards envieux d'une voisine plus jeune qu'elle. Ensuite, elle renseigne deux vieilles dames marchant avec prudence sur l'origine de son butin. Puis, après de longues secondes de réflexion, elle se départit à regret d'un sac décousu en l'abandonnant dans une poubelle. Enfin, elle arrive chez elle et monte à sa chambre sans avoir rencontré sa mère. Elle dissimule les sacoches sous son lit. Vite maintenant, il faut rejoindre Rachel.

Une lueur curieuse miroite dans la pièce. Dominique s'approche de l'unique fenêtre de sa chambre et écarte les rideaux de tulle rose. Un spectacle horrible l'attend : des flammes déjà hautes s'élèvent du tas de boîtes et de cageots abritant Rachel. Des curieux s'approchent de l'incendie. Le jour tombe. Une sirène se fait entendre au loin. Dominique reste longtemps rivée à sa fenêtre, spectatrice muette et sidérée. Elle a l'intuition profonde que sa sœur est encore au cœur du brasier.

*
*   *

Évelyne entend des pas venant dans sa direction.

— Oh ! Dominique.

Elle ne sait plus du tout quelle attitude prendre à son égard.

— Évelyne !

Dominique sourit paisiblement. Elle dépose la main sur le bras de son amie.

— Ça va mieux. Beaucoup mieux.

Elle parle à voix basse. On l'aurait cru épuisée.

— Viens t'asseoir, je t'en prie.

Évelyne la suit vers la causeuse du salon. Dominique l'enlace avec tendresse.

— Tu as l'air si étrange. Explique-moi vite.

— Chut ! Écoute. Tu vas tout comprendre. J'ai... J'ai une révélation terrible à te faire.

Évelyne la regarde fixement, les yeux arrondis par la curiosité.

— Tu douteras peut-être de mon affirmation mais... elle prend une longue respiration... mais je n'ai pas tué ma sœur. J'en suis presque sûre.

Elle saisit les mains d'Évelyne, les attire à elle.

— J'en suis persuadée. J'ai toujours cru le contraire mais je faisais erreur. Je n'ai pas allumé l'incendie.

Elle s'emballe, hausse le ton. Sa joie fuse de toutes parts.

Évelyne reste quelques instants interloquée, incapable de réagir. Elle aussi aurait crié sa joie. Elle n'a même pas envie de douter. Enfin un dénouement heureux marque l'existence de Dominique : le premier d'une longue série, espère-t-elle. Et le bonheur que celle-ci éprouverait ne pourrait que rejaillir sur leur vie commune.

Dominique ne peut plus contenir la gaieté libératrice qui monte en elle comme l'eau d'une fontaine, ouvre ses lèvres sur un cri aigu. Elle se sent dans un état d'effervescence sans précédent. Des poussées d'adrénaline la font rire et pleurer à la fois. Elle n'est plus tout à fait maîtresse de ses gestes, de ses pensées, mais cette fois, elle n'en éprouve qu'une agréable griserie.

XV

La sonnerie du téléphone retentit puissamment dans la maison endormie.

Au fond de son grand lit, sous ses minces draps d'été, Évelyne s'éveille brutalement.

— Qu'est-ce ?... fait-elle à voix haute.

Elle allume instinctivement la lampe de sa table de chevet. Son radio-réveil indique 5 h 55. L'appareil continue à gronder rageusement. Elle se lève en titubant et enfile une robe de chambre. L'air tiède pénétrant dans la pièce par la fenêtre entrouverte l'éveille un peu plus. Mais qui peut appeler à une heure aussi indue ?

Elle marche vers le salon en grognant. Un téléphone nocturne a déjà perturbé sa vie et cette sonnerie le lui rappelle cruellement. C'était peu avant l'aube qu'elle avait appris la mort de son mari, quelques années plus tôt. Depuis, à chaque occasion où le téléphone a sonné à des moments inhabituels, elle a senti d'étranges malaises dans sa poitrine.

Elle soulève le combiné d'une main maladroite.

— Allô?

Sa voix est éraillée.

— Madame Laplante?

— Oui. C'est moi.

— Philippe Boily, se présente la voix. Je suis désolé de vous réveiller, mais il le fallait.

Encore une catastrophe, Évelyne le pressent très bien. Le père de Dominique ne lui a jamais parlé auparavant; il ne l'appelle donc sûrement pas pour des peccadilles.

— ... Mon épouse est décédée tard hier soir...

Ses paroles, chargées d'émotion, ont quelque chose de pathétique...

— ... ça faisait quelques semaines que sa santé se dégradait. Elle ne voulait pas tomber dans une déchéance physique totale, alors...

Évelyne entend quelques sanglots étouffés.

— ... alors elle a hâté la chose...

— Je comprends, dit Évelyne, interdite.

Elle avait raison. Nulle bonne nouvelle ne peut surgir à cette heure. Si Philippe Boily n'a jamais donné signe de vie, il donne maintenant signe de mort.

Évelyne chasse vite de ses pensées ce jeu de mots de mauvais goût.

— Je suis sincèrement...

— Je vous rappellerai pour vous donner d'autres informations dès que ce sera possible...

Évelyne sent une hésitation chez son interlocuteur.

— Je peux compter sur vous pour aviser ma fille, n'est-ce pas ? Vous... Vous le ferez sans doute mieux que moi, étant donné nos relations...

— Bien sûr, monsieur Boily. Je le lui dirai à son réveil.

Elle bafouille un message de condoléances plus ou moins articulé mais néanmoins sincère. La détresse l'a de tout temps profondément émue, quelle qu'en soit la victime.

Il est quand même curieux, songe-t-elle, que le père de Dominique manifeste soudainement un peu de compassion envers sa fille. Sa peine avait dû remuer son cœur endurci.

Évelyne marche tel un robot jusqu'à un fauteuil où elle se laisse choir sans ménagement. La maison est encore plongée dans une demi-obscurité ; le soleil levant commence tout juste à poindre à l'horizon. Bien qu'elle ait cessé de fumer dix ans plus tôt, elle aurait volontiers grillé une cigarette. Le coucou chante six fois ; pour peu elle lui aurait crié de se taire, de s'arrêter. Dans l'attente du lever de Dominique, les secondes qui s'écoulent lui paraissent de plomb et attisent son anxiété.

Comment apprendre l'horrible nouvelle à son amie ? Comment celle-ci réagirait-elle étant donné l'absence de contacts avec sa mère ? Resterait-elle calme ? Frôlerait-elle la crise de nerfs ? C'était possible ; après tout, elle était la chair de sa chair. Des liens organiques les avaient déjà unies dans la plus grande intimité qui puisse exister. De tels liens ne se rompaient pas sans un profond sentiment de déchirement.

*

*   *

Malgré son engourdissement, Évelyne entend un bruit de semelles traîner sur le parquet. Les pas se dirigent vers elle ; Dominique va faire irruption dans la pièce et elle ne sait toujours pas comment lui dire...

Elle entre lentement, s'arrête sur le seuil du salon et regarde Évelyne. Son sourire s'efface vite devant la mine déconfite de cette dernière. Elle s'avance vers son amie en l'examinant avec suspicion. Eh oui ! pense-t-elle, les rôles sont inversés. C'est Évelyne maintenant qui a besoin de réconfort...

— Viens t'asseoir près de moi, Dominique, j'ai à te parler.

Une crainte empoigne la jeune femme... Et si elle était la cause de la tristesse d'Évelyne... Avait-elle un grave reproche à lui formuler ? Elle ne se pardonnerait jamais de lui avoir fait de la peine à ce point.

Elle obéit, inquiète.

Évelyne relève la tête et regarde Dominique dans les yeux.

— J'ai une très mauvaise nouvelle à t'annoncer.

Elle lui saisit les mains et les comprime entre les siennes. Elle prend une grande respiration ; il ne sert à rien, se dit-elle, de tourner longuement autour du pot.

— J'ai reçu un appel, plus tôt... C'était ton père.

La jeune femme lève les yeux, presque méfiante.

— Ta mère est morte, Dominique.

Le silence dure de longues secondes. À regarder Dominique, assise, la tête appuyée au dossier, les yeux mi-clos fixant le vide, Évelyne devine qu'elle l'a atteinte. Elle ne pleure pas, mais la tristesse voile le pétillement de ses yeux.

Son esprit, parti à la dérive sous les souvenirs, vagabonde à la recherche de sa mère comme s'il voulait la faire revivre. Dominique souhaite s'éveiller et constater qu'elle fait un mauvais cauchemar... Ou encore, revenir dix minutes en arrière pour réinventer le futur. Mais qui est-elle pour modifier la fatalité ?

Des images fixes de sa mère surgissent du néant pour parader devant elle comme autant de diapositives en folie ; des bribes de conversation éclatent dans sa tête l'éclaboussant de mots sarcastiques.

Elle la voit lui faisant face, les sourcils froncés, la bouche crispée en une grimace haineuse ; dans sa main droite elle tient un petit objet que Dominique distingue mal. Elle paraît furieuse. Elle va la frapper ; la fillette relève ses petits bras au-dessus de sa tête pour se protéger :

— Non ! hurle-t-elle.

Évelyne sursaute violemment. Le cri retentit dans le salon comme un coup de fusil. Elle serre Dominique dans ses bras.

— Pleure, pleure, ça ira bien mieux ensuite. Ça te fera moins mal.

Mais la jeune femme ne sent pas ses yeux se gonfler sous le coup du chagrin ni ses entrailles se nouer. Elle a tant pleuré au cours de sa vie qu'elle croit maintenant tarie la source de ses larmes. Elle est divisée entre le besoin presque physique de se laisser aller à un état d'hébétude où elle se complaît parfois et l'idée que sa mère, après tout, n'a jamais valu la peine qu'elle se tourmente ainsi. « Je ne dois pas être triste, se dit-elle ; il n'y a pas de raison ». Elle fera tout pour demeurer imperturbable : cette mort ne la dérangera pas. Sa mère n'est pas plus importante à ses yeux que... que les gens de la maison St-Marc, par exemple... Elle n'a été, pense-t-elle avec lucidité, qu'un véhicule, qu'un contenant. Il serait bien ridicule de pleurer la destruction d'un contenant.

XVI

Dominique retrousse sa jupe grise jusqu'à mi-cuisses, attrape son bas de nylon entre le pouce et l'index et le tire vers le haut : le pli horizontal qui se formait sous son genou disparaît instantanément. Elle se redresse et se dandine devant un miroir.

— Je me demande pourquoi mon père a décidé de ne pas exposer ma mère ?

— Je ne sais pas. Il a simplement dit d'être là une demi-heure avant les obsèques... Es-tu prête, Dominique ?

— Je n'en ai que pour un instant.

Elle s'assoit devant sa coiffeuse, met un peu de rose sur ses pommettes fades et maquille légèrement ses yeux comme Évelyne le lui a enseigné. À peu près satisfaite de son reflet, elle gagne le salon où son amie arrive au même moment.

— Oh ! Évelyne !

Elle fait une moue d'ennui.

— Je n'ai pas envie d'y aller. Tu es sûre que nous devons...

— J'en suis très sûre, Dominique. Ce sera un dur moment à passer pour toi mais nous n'avons pas le choix. Ne t'inquiète pas... Ce sera bref. Et puis, je serai là.

La jeune femme laisse tomber sa tête sur l'épaule de son amie.

— Reste toujours près de moi, Évelyne, ne me quitte pas... Je t'en prie...

*
*   *

Évelyne glisse sa Honda entre deux grosses automobiles noires. À sa droite, la structure de pierres de l'église cache le soleil matinal. Deux hauts clochers pointent leur cime vers le ciel, comme s'ils avaient voulu le prendre à témoin de la cérémonie qui allait suivre.

Dominique soupire longuement ; elle est si lasse. Pour peu, elle serait restée dans la voiture. Malgré ses vœux pieux, la proximité de son père la rend nerveuse. Elle sent en elle une émotivité à fleur de peau. Pourtant, elle s'est conditionnée à refouler sa peine ; le tout serait de tenir jusqu'au bout.

— Il faut y aller Dominique, murmure Évelyne.

Elle hoche doucement la tête, résignée. Les deux portières claquent en même temps. Côte à côte, elles laissent passer quelques véhicules puis traversent la chaussée. Évelyne tire à elle l'énorme porte de bois et, d'un sourire maladroit, invite Dominique à entrer.

Seulement quelques personnes vêtues de couleurs sombres sont déjà à l'intérieur. Réparties en îlots de deux ou trois individus, elles vantent les mérites et les qualités de la disparue. Dominique sent un regard sur elle ; son père est là ; il quitte son groupe et s'approche d'elle.

La jeune femme est saisie de gêne ; stupidement, elle détourne les yeux et scrute l'immensité de la nef. Elle s'attarde plus longtemps qu'elle ne le souhaite sur la forme rectangulaire du cercueil contenant le corps de sa mère, juste devant la balustrade. Relevant à peine le regard, elle fait le tour du chœur, faisant mine d'être distraite. Au centre de celui-ci, sur l'autel majestueux, des cierges, ancrés dans des candélabres aux branches multiples, éclairent faiblement les ors. Des objets profilés, spiralés, projettent sur les murs des ombrages fantomatiques. L'atmosphère est au recueillement.

Dominique devine une masse sombre à ses côtés ; vite il faut se concentrer sur un autre trésor : les mille facettes des immenses vitraux perçant les murs de l'église se sont transformées en autant de petits prismes ; ils décomposent la clarté venue de l'extérieur en une poudrerie de teintes irisées...

— Dominique !

La jeune femme se raidit. Elle souhaite fondre sur-le-champ, ne plus exister. Une odeur d'encens flotte dans l'air ; elle se sent défaillir et s'accroche à Évelyne. Est-ce cet air lourd ou la présence de son père qui l'étourdit ainsi ?

— Dominique, je t'en prie, regarde-moi !

La voix de Philippe Boily n'est qu'un murmure suppliant.

— J'ai tant besoin de toi, des miens.

Il prend sa fille par les épaules et l'approche de sa poitrine. Elle n'oppose pas de résistance, mais reste de glace.

— Je t'aime, tu sais, à ma manière...

Évelyne sort un mouchoir pour s'essuyer les yeux.

— Tu m'en veux sans doute, mais pour aujourd'hui, oublie cette... il allait dire haine... oublie nos mésententes. Je t'en conjure.

— Tu sais, Yolande parlait souvent de toi, ment-il.

Dominique qui a bien dompté ses nerfs ne tressaille même pas. Elle fixe avec insistance l'Enfant Jésus, souriant tendrement dans les bras d'une Vierge de plâtre. Elle n'a jamais connu de bonheur avec sa mère, comment alors son père peut-il dire la vérité ? Elle recule de quelques centimètres et le regarde enfin droit dans les yeux, comme pour le défier.

— C'est vrai, ce que je te raconte, continue-t-il en tentant de se faire convaincant.

— Elle aurait apprécié te revoir avant sa mort...

Cette fois, il croit mentir bien que ses propos reflètent la réalité.

Les gens affluent maintenant.

— Je m'excuse, Dominique. Il la repousse mollement. J'ai des personnes à accueillir. Je reviendrai tout à l'heure. Viendras-tu t'asseoir près de moi ?

— Je... Je ne sais pas.

Elle le regarde s'éloigner. Il a vieilli depuis leur dernière rencontre. Ou était-ce simplement le décès de son épouse qui avait fait grisonner rapidement ses cheveux ?

— Tu ne sembles pas heureuse de ces retrouvailles ? souffle Évelyne. C'est pourtant touchant de vous voir enfin réunis...

— Touchant, tu dis !

Son ton se fait agressif.

— Je suis certaine que toutes ces belles paroles ne sont que des mensonges.

— Tu es dure, Dominique. Tu ne devrais pas être aussi catégorique.

Un homme âgé à la peau parcheminée parvient à hauteur des deux femmes. Il salue Dominique.

— Mes sympathies, madame.

Prise au dépourvu, celle-ci ne sait que répondre. Le vieillard fait un pas de côté et, se méprenant sur l'identité d'Évelyne, redit ses condoléances. Plus alerte, la bénévole le remercie tandis qu'au jubé, l'organiste commence à se délier les doigts.

*
*   *

Philippe Boily se fraye un chemin à travers l'assistance. Dominique le voit soudain à vingt pas devant elle. Il faut vite qu'elle referme ses traits, qu'elle revête encore une fois sa carapace.

Quelqu'un vient derrière son père ; Dominique ne le distingue pas bien à travers toutes ces figures rendues blêmes par la présence de tant d'étoffes noires ou grises. Philippe s'avance davantage, se libère d'un dernier groupe. L'homme qui le suit peut enfin prendre place près de lui ; ils ne sont plus qu'à cinq pas. Dominique vacille ; son cœur et sa respiration s'arrêtent brusquement. Côte à côte, ces deux hommes sont d'une ressemblance troublante. Bien que les ans aient creusé des sillons sur le visage du premier, la description de l'un aurait parfaitement convenu à l'autre ; la taille et la forme du nez, de la bouche, la hauteur du front, tout concordait.

— C'est Christian, Dominique...

Son père est visiblement mal à l'aise de procéder à une présentation aussi insolite.

Dominique ne dit rien. Sa tête se vide comme si un extraordinaire siphon lui avait retiré toute pensée, toute énergie. Jamais, elle n'a présagé rencontrer son frère ici. Et pourtant, elle aurait dû le faire. Son esprit l'avait oublié quelque part. Comme Rachel, il avait cessé d'exister, jadis en Europe.

— Bonjour Dominique.

Christian saute imperceptiblement d'un pied à l'autre, tel un enfant gêné.

— Tu as bien changé.

Il esquisse un sourire.

— Je pense que je ne t'aurais pas reconnue.

Il attend une réponse qui ne vient pas.

— C'est dommage d'être réunis dans des circonstances aussi pénibles.

La jeune femme acquiesce d'un signe de tête et déglutit avec peine. Un long silence s'installe. Elle a l'impression que les gens les entourant n'ont d'yeux que pour elle, qu'ils l'épient.

Elle réussit enfin à vaincre son malaise et articule une phrase intelligible.

— Qu'es-tu devenu, Christian ? Ça fait si longtemps !...

— Je suis dans les affaires. Ça va rondement. Je suis marié et j'ai deux petits garçons... Tu vois, tu es tante et tu l'ignorais... Regarde, ils sont là-bas avec ma femme... Je te les présenterai plus tard. Je demeure à Beauport, non loin de chez papa et ...

Il se mord la lèvre inférieure tandis que ses yeux se mouillent. Il se tourne vers le cercueil.

— Pauvre maman. Elle était si changée ces derniers temps ; elle ne parlait plus, elle ne mangeait plus.

Christian baisse profondément la tête. L'organiste pianote une lente mélodie.

— Je m'excuse, Dominique, je dois rejoindre mon épouse. Ça m'a fait plaisir de te revoir.

Soulagé, il tourne les talons sans plus rien ajouter.

L'assistance se dirige vers les bancs. Évelyne saisit le coude de son amie et la guide vers l'allée centrale qu'elles descendent jusqu'à proximité du cercueil. Dominique, refusant l'invitation de son père, insiste pour s'asseoir dans la troisième rangée ; celui-ci et son frère prennent place dans la première.

Elle ferme les yeux. Comment ce lieu si riche, si propice à la méditation, peut-il supporter la laideur qu'est la mort et l'hypocrisie que sont ses relations avec sa famille ? Cela lui semble impensable.

Le prêtre fait son entrée en passant par le déambulatoire, paré des vêtements sacerdotaux blancs. Il se tient bien droit, face au cercueil, entre deux trios de hauts cierges. Une douce odeur d'œillets embaume l'air : on aurait cru qu'elle venait du célébrant.

Tout devient immobile dans l'église ; le temps paraît s'être arrêté. Rien ne bouge : pas un bras, pas un doigt, pas un battement de paupière. D'un chœur invisible monte un air plaintif.

— Le Seigneur est Lumière ; le Seigneur est Salut.

Dominique regarde les occupants des rangées qui la précèdent. Quelques-uns ont la tête basse, le mouchoir à la main ; la scène et la musique sont si émouvantes. Et pourtant, elle ne peut s'en pénétrer vraiment ; il lui semble qu'elle n'est qu'un vulgaire observateur, qu'elle rêve.

Le prêtre entame la cérémonie en aspergeant la bière métallique d'eau bénite. Il prononce ensuite une prière pour demander à Dieu d'accueillir la défunte. Puis les chantres, faisant écho au son de l'orgue, entonnent :

— Ajoute un couvert à la table...

Dominique fixe la nuque de son père, un peu à sa gauche, puis son regard glisse sur celle de son frère. Christian... Le revoir la renverse. Elle se sent prise de vertige.

Elle reporte son attention sur le cercueil. Elle aimerait tant être normale, connaître une grande tristesse, pleurer, s'affaisser, mais rien n'y fait : elle en est incapable.

L'officiant lit un évangile qu'elle n'écoute pas. L'assistance s'assoit pour l'homélie. Le regard de Dominique revient à Christian. Elle se concentre sur sa tête, sur ses épaules, avec tant de force que celui-ci se retourne à demi et la regarde furtivement du coin de l'œil.

Dominique ne peut plus détacher ses regards de son frère. Un brouillard enveloppe le prêtre, l'assistance, la nef, faisant place à des images, à des souvenirs. Les cheveux de Christian pâlissent, sa taille rapetisse... Il a dix ans. Maintenant elle ne le voit plus mais elle l'entend... très nettement.

— ... À son baptême, Yolande a été amenée dans une église ; au terme de sa vie, alors que nous la pleurons tous...

Elle entend aussi son père et sa mère. Ils parlent fort. Des cris et des sanglots s'entremêlent. Elle est couchée sur son lit. Sa mère l'y a envoyée une heure plus tôt, mais elle est incapable de s'endormir.

— ... et nous les vivants, pour perpétuer la volonté de notre sœur, devons vivre selon les principes moraux et religieux qui ont guidé sa vie...

Malgré l'éloignement, Dominique entend la voix de Christian enfant répéter inlassablement : « Je n'ai pas fait exprès... Je n'ai pas voulu... Elle avait froid... Je voulais la réchauffer... »

— ... ainsi, la volonté de Dieu sera réalisée. Et rappelez-vous que c'est son fils, en nous enseignant le Notre Père...

L'homélie se termine bientôt. Dominique délaisse quelques instants la silhouette de son frère, distraite par le prêtre qui, à petits pas, fait le tour du cercueil. Avec des mouvements secs du goupillon, il asperge une seconde fois le corps de Yolande. Un servant lui tend ensuite un encensoir qu'il brandit devant l'assistance. Des nuages de fumées odorantes s'en échappent. Son père se mouche bruyamment. Ses épaules tressautent d'une façon irrégulière.

L'orgue émet les premières notes du chant « Va plus loin ». Six porteurs, vêtus de noir, le regard fixe, remontent les collatéraux d'un même pas. Dominique se concentre à nouveau sur Christian et refranchit la barrière du temps.

Soudain, elle entend son père qui, en bas, dans la cuisine crie d'une voix où perce le désespoir : « Mais pourquoi Christian as-tu fait ça ? »

*
*   *

Dominique sent ses jambes se dérober et s'effondre sur son banc. Évelyne se penche vers elle, inquiète.

— Avant de quitter Yolande pour quelque temps, car nous irons tous la rejoindre un jour, nous allons lui demander...

Maintenant, elle n'a plus à regarder son frère : les images viennent d'elles-mêmes. C'est maintenant le matin ; elle a peu dormi. Elle descend l'escalier. Les voix de son père, de sa mère, ainsi que deux autres qu'elle ne connaît pas retentissent dans le vestibule. Elle comprend mal ce qui s'y dit. Elle s'avance, entre dans la petite pièce. Deux agents en uniforme bleu, portant des galons aux épaulettes demeurent sur le seuil et discutent avec ses parents. À son arrivée, tous les regards convergent vers elle. Yolande tient entre ses mains son petit manteau. Elle sort une boîte d'allumettes d'une des poches.

« Regardez, dit-elle aux policiers. C'est elle. »

— Amen.

XVII

C'est une nuit d'encre. Les plantes reposent dans l'obscurité totale. Les bruits des feuilles des arbres s'agitant légèrement sous le vent pénètrent par les fenêtres entrouvertes. Depuis de longues minutes toute circulation s'est arrêtée. La ville s'est assoupie.

Dominique a calé des oreillers contre son dos afin de rester à demi assise ; elle doit lutter contre le sommeil. La mission qu'elle s'est donnée est trop importante pour se laisser aller à dormir, tout bêtement.

Le geste qu'elle va poser prouvera bien à tous ceux qui l'ont cru folle qu'ils se sont trompés... car il nécessite une intelligence vive. Oui, elle leur montrera de quoi elle est capable.

Depuis quelques jours, elle a réfléchi à ce qui lui arrive, au dévoilement du mensonge ayant servi de cadre à sa vie. Et bientôt, une idée de vengeance a germé en elle pour devenir un véritable besoin. Maintenant qu'elle connaît toute la vérité sur son existence, que l'histoire est presque complète, elle va boucler la boucle. Elle va lui offrir une conclusion digne de celle que, pendant vingt ans, on a vu en elle.

Les aiguilles aux pointes phosphorescentes de son cadran tracent un angle droit : il est un peu plus de 2 h 25. Dominique se lève en tremblant. Il ne faut pas faire de bruit ; Évelyne ne doit se réveiller sous aucune considération.

La jeune femme respire profondément pour dompter ses nerfs à fleur de peau. Pendant cinq secondes, elle s'efforce de ne penser à rien. Ayant tout soigneusement préparé plus tôt, elle s'habille sans même allumer de veilleuse ; le moindre son, la moindre lueur peuvent trahir son activité nocturne ; elle aurait été bien en peine de fournir des explications sur son étrange comportement.

Le pire reste à faire : il faut quitter la chambre et traverser la maison sans attirer l'attention. Elle fait un pas en direction de la porte de sa chambre. Un chien aboyant au loin la glace sur place. Elle laisse s'écouler un court laps de temps puis s'avance à nouveau. Elle ouvre la porte avec une lenteur infinie ; la poignée doit être tenue fermement afin que le pêne ne retombe pas bruyamment dans sa gâche. Elle est dans le couloir, près du salon. Éviter tous les pots au sol ou suspendus n'est pas chose facile dans l'obscurité ; elle doit avancer lentement, à tâtons, comme un aveugle en terrain inconnu.

Quatre pas... Ici, il faut tourner. L'entrée n'est plus qu'à quelques mètres. Elle ralentit. Soudain, le plancher se dérobe sous son pied droit pointé vers l'avant... L'escalier... Cinq marches, ensuite le palier et la porte. Le coucou chantant la demie lui arrache un cri qu'elle réprime difficilement. Une grande fenêtre verticale, près de la porte, lui permet enfin de distinguer quelque chose dans la pénombre. Elle se retourne vers l'appartement dont elle devine le décor pour une dernière fois peut-être.

Elle tire tout doucement la porte d'entrée. Celle-ci s'ouvre sans grincer. Puis, descendant sur le marchepied de ciment, elle la referme avec mille soins.

La tiédeur de la nuit est remarquable. Elle n'a revêtu qu'un mince gilet de lainage lui permettant une aisance de mouvement... elle marche jusqu'à la rue après avoir bien examiné les alentours ; un voisin insomniaque, un crissement de pneus, un fêtard tardif auraient pu faire échouer ses projets.

Dominique court sur les pelouses humides, dissimulée par des haies de cèdres et de chèvrefeuilles. Les fleurs au repos exhalent un parfum plus suave et plus capiteux que celui dégagé en plein soleil. Parfois, en traversant d'étroites allées de dalles conduisant aux maisons, ses talons claquent furieusement sur le sol : elle a alors l'impression que les lumières vont s'allumer aux façades et elle redouble de vitesse.

Elle parvient enfin à la jonction de la rue Scott. La cabine téléphonique semble l'attendre. Elle affronte la lumière d'un lampadaire et y pénètre.

La communication s'établit rapidement.

— Allô ?

— Un taxi au coin des rues Scott et de la Fourche, s'il vous plaît !

Elle sort de la cabine et se cache derrière un petit muret séparant deux terre-pleins. Au ciel, les étoiles scintillantes dessinent d'étranges configurations.

Un moteur gronde dans le calme de la nuit. Machinalement, la jeune femme se recroqueville sur elle-même. Une grosse automobile bleue, aux allures de limousine, se range contre le trottoir, près de la cabine. Dominique se dirige vers l'auto. Le contact froid du métal la fait frissonner. Elle monte sur le siège arrière... Pourvu que le chauffeur ne la presse pas de questions.

— Rue Bach, s'il vous plaît. Je vous dirai quand arrêter.

L'homme la regarde avec un brin de suspicion à travers les verres épais de ses lunettes.

— Bien ma p'tite dame. Drôle d'heure pour sortir.

Dominique appuie sa nuque à la banquette et ferme les yeux à demi en feignant de s'endormir. Dans le rétroviseur, elle peut voir les sourcils épais de l'homme s'élever et s'abaisser dans une danse sans doute due à la fatigue.

La jeune femme se redresse ; il ne faut surtout pas dépasser le lieu où elle a prévu descendre. Une maison, un point de repère, passent devant ses yeux.

— Arrêtez, s'il vous plaît !

Sa voix est impérieuse ; elle ne se reconnaît pas ce caractère résolu.

— Pouvez-vous m'attendre ? Vous aurez un bon pourboire !

— D'accord.

Les yeux du chauffeur brillent de cupidité.

Elle sort du véhicule et, un peu plus loin, se confond vite dans un bosquet voisin. De là, elle pourra s'assurer que tout est tranquille, calme, comme elle-même ; il règne maintenant dans sa tête une étrange sérénité.

En parvenant devant la maison St-Marc, elle grimpe sur le mur d'enceinte et se faufile à travers les érables qu'elle connaît si bien. De tristes souvenirs l'assaillent mais elle les chasse rapidement ; elle ne doit pas se déconcentrer.

Elle fait un large demi-cercle autour de l'édifice pour demeurer constamment dans les ténèbres. Aucune lumière n'y brille, ni à l'avant, ni à l'arrière. Seule une lueur filtre à la fenêtre de l'infirmerie. Tout doit dormir à l'intérieur.

Elle s'approche discrètement des vieilles pierres. Il faut maintenant franchir un vaste espace éclairé par une sentinelle. Si, malgré les apparences, quelqu'un est assis à sa fenêtre, comme elle l'a fait si souvent, il ne pourra la manquer. La traversée jusqu'à la remise constitue l'étape de sa mission où elle sera plus vulnérable.

Mais ses craintes sont inutiles. Elle arrive au petit bâtiment sans que nul mouvement, nul bruit ne révèlent qu'on ait pu s'apercevoir de sa présence. Tout va magnifiquement bien. Pour ajouter à sa veine, la porte du garage n'est pas verrouillée. Elle y entre.

Dominique sort de son gilet une minuscule lampe de poche appartenant à Évelyne. Elle actionne le bouton-poussoir en prenant soin de masquer le faisceau de lumière de sa main. Un simple reflet s'échappant par quelque carreau poussiéreux et elle était dans de beaux draps... Elle fait le tour de la remise, dirigeant sa lampe sur les tablettes, sur le sol, et trouve rapidement ce qu'elle cherche près d'une tondeuse. Elle s'empare du petit bidon de fer-blanc et le soupèse en l'agitant doucement ; aucune erreur possible, il est rempli aux trois quarts. L'odeur qu'il dégage, la poignée poisseuse, certifient qu'il contient bien de la gazoline.

La jeune femme glisse avec précaution le réservoir dans un sac à double poignée de corde qu'elle avait plié et caché dans son pantalon. Tout a été minutieusement prévu ! Elle fait maintenant à l'inverse le chemin parcouru depuis son arrivée sur les terrains de la maison.

Dominique arrive sans encombre près de son point de départ. Déjà son bras se fatigue sous le poids du bidon. Elle s'adosse à un gros tronc rugueux pour récupérer. Une automobile aux vitres baissées passe rapidement à sa hauteur ; des adolescents enivrés hurlent outrageusement ; elle se blottit davantage contre l'arbre, tentant de se faire plus petite. Lorsque les cris cessent au loin, elle se relève et gagne la voiture-taxi qui l'attend un peu en retrait.

— Eh! madame, vous allez empester mon véhicule avec cette essence.

— Le pourboire en tiendra compte aussi...

Comme une magicienne, elle fait apparaître un billet orange provenant de la sacoche d'Évelyne entre ses doigts et le secoue près de sa figure. Dans le rétroviseur, les yeux de l'homme se font plus perçants. Libre de scrupules, le chauffeur actionne le démarreur.

— 48, rue de Troie à Beauport, s'il vous plaît.

*
* *

L'automobile ralentit et s'immobilise enfin devant le 48. Dominique remet au chauffeur le billet de 50 dollars. Là où elle ira, il lui sera de toute façon bien inutile. Quand le taxi disparaît à l'extrémité de la rue, elle revient tranquillement sur ses pas jusqu'au numéro 42.

Christian habite une jolie maison tout en bois avec de belles boîtes à fleurs suspendues sous chaque fenêtre, au rez-de-chaussée comme à l'étage.

Dominique sent subitement une chaleur s'abattre sur elle. Elle transpire abondamment. Non, elle ne reculera pas!... Le but est si près...

Elle contourne la maison en prenant soin de ne pas faire de bruit, se méfiant des plates-bandes, des jouets oubliés, des petits arbustes aux épines acérées qui lui auraient arraché une plainte.

À l'arrière, quatre marches donnent accès au patio. Elle les gravit sur la pointe des pieds. Une lointaine lumière de rue se reflète sur la partie gauche de la porte-fenêtre tandis que celle de droite demeure sombre, derrière la moustiquaire ; Dominique comprend qu'on l'a laissée ouverte pour faire pénétrer l'air pur de la nuit. Elle regarde cette légère porte avec stupéfaction et retient un éclat de rire... Jamais elle ne s'est imaginé qu'on faciliterait sa vengeance à ce point. Le seul obstacle s'opposant encore à sa rancune est constitué d'un vulgaire treillis de petites broches.

Elle approche sa figure de la porte et tente en vain de voir à l'intérieur ; la noirceur est totale. Elle prête l'oreille avec attention ; tout est silencieux ; tous les occupants doivent dormir du sommeil du juste.

— Dormez bien, murmure-t-elle avec haine.

Elle assène brutalement un coup de pied à la base du moustiquaire. Un bruit de déchirure remplit l'air mais elle n'a plus le temps de s'inquiéter. Maintenant, le temps presse.

Le trou dans le grillage mesure environ quinze centimètres de diamètre. C'est suffisant. Nerveusement, elle dévisse le bouchon du jerrican et introduit le goulot dans l'ouverture. Le liquide se répand dans la maison avec régularité en émettant de comiques glouglous. Cinq ou six litres de combustible doivent faire une sérieuse nappe sur le plancher, pense-t-elle.

Elle éloigne le récipient maintenant vide et fouille encore une fois dans une poche de son gilet. Ses doigts effilés se referment sur un carton garni d'allumettes. De ses mains, elle agrandit l'orifice puis, elle en craque une. Elle attend une seconde que la flamme se stabilise, masquée par sa main faisant paravent et, en se reculant, la jette sur le plancher.

Un plouf sourd, comme celui causé par l'ouverture d'une bouteille de champagne se fait entendre. Un éclair jaune jaillit dans toute la pièce. C'est la cuisine : la table est déjà mise pour un petit déjeuner qu'on ne servira jamais.

Dominique contemple quelques instants son œuvre et s'enfuit. Elle traverse la rue et gagne le parterre de la résidence faisant face à celle de Christian. Là, elle s'assoit mollement dans l'herbe mouillée qui sent si bon. Un monstrueux pommier aux branches s'étirant en tous sens la surplombe. D'une façon impromptue, elle songe à un cauchemar qu'elle faisait, petite : de menaçants hommes-arbres voulaient l'attraper de leurs bras secs pour la transformer elle aussi en arbre. Les enfants de son frère étaient-ils parfois en proie à ces mêmes craintes puériles ?

Maintenant, enfin, elle n'a plus à se dérober, à feindre, et elle en éprouve une douce quiétude... Sa mission est accomplie... tout le reste n'est qu'illusion.

Bientôt toutes les fenêtres du rez-de-chaussée montrent une lumière jaune, rouge, toujours mouvante. Elle peut voir les flammes hautes s'en prendre aux rideaux, lécher les murs. Une vitre vole en éclat ; le léger grésillement qu'on percevait se change vite en un puissant ronflement. Quelque chose bouge à l'étage : Dominique croit voir la forme pâle d'un corps passant devant la fenêtre. Une lumière blanche apparaît soudainement pour s'éteindre aussitôt. Est-ce un cri qu'elle entend là ? La jeune femme prête attention mais le bruit de l'incendie s'intensifiant de seconde en seconde couvre tout. D'autres tintements de verre brisé retentissent. Le ronflement redouble d'ardeur.

Dominique pense à nouveau à ces enfants, ses neveux, qui allaient périr mais n'en éprouve aucun remords. Elle s'est forgé un cœur de pierre.

Une sirène lointaine se fait entendre. Quelqu'un a dû donner l'alarme. Des lumières brillent maintenant aux fenêtres environnantes mais Dominique ne s'en soucie guère.

Un gros camion rouge tourne l'angle de la rue sur les chapeaux des roues, suivi de véhicules d'urgence et de police aux gyrophares agressifs. Des ambulances arrivent en trombe. Rapidement tout l'entourage grouille de secouristes.

Des curieux, sortis des habitations voisines, s'attroupent près de Dominique. Des cris de stupeur, d'étonnement, fusent de toutes les bouches. Un jeune garçon, arrivé en courant, n'en croit pas ses yeux.

— C'est la maison des Boily qui brûle !

Une femme, la tête garnie de bigoudis mal dissimulés par un fichu de soie, confie à son mari :

— J'espère qu'ils ont réussi à sortir... Une si gentille famille.

Un gros homme au ventre proéminent fulmine :

— Pourquoi n'y a-t-il pas plus de pompiers ? Mais pourquoi n'y a-t-il pas plus de pompiers ? C'est une honte... au montant des taxes que nous payons.

Plus loin, une mère console son bébé effarouché. Quel âge ont exactement les enfants de Christian ? Dominique les a vus à l'église lors des funérailles ; elle tente de se rappeler ; six ans, huit ans peut-être ? Mais cela n'a plus d'importance... Ils n'ont plus d'âge maintenant.

L'attention de Dominique et de la foule est soudainement retenue par deux sapeurs sortant de la maison en flammes : ils portent une civière sur laquelle repose une forme arrondie complètement emmitouflée dans une couverture grise.

D'autres pompiers leur prêtent main-forte et, à quatre, ils rendent leur fardeau jusqu'à l'ambulance la plus proche. On échange quelques paroles puis, les hommes portant des respirateurs retournent dans la fournaise avec une autre civière. Quelques minutes plus tard, ils surgissent à nouveau de la maison avec un deuxième corps devant l'assistance recueillie.

Les ambulances quittent les lieux sans sirènes ni clignotants, cette fois.

Une femme passe près de Dominique.

— Il paraît qu'on les a découverts dans l'escalier. Les enfants eux n'ont pas été retrouvés.

Elle s'enfouit la figure dans un large mouchoir, incapable d'ajouter quoi que ce soit... Elle aussi a deux jeunes bambins.

Oui, sa mission est vraiment accomplie. Dominique en a maintenant la certitude. Elle se sent envahie d'un soulagement, d'un bonheur même... Étrange sensation dont elle n'a pas souvenir.

Se levant, elle quitte le parterre et s'avance dans la rue congestionnée. Elle s'approche d'un policier.

— Monsieur l'agent, fait-elle, c'est moi qui ai allumé l'incendie.

Elle a l'air si sûre d'elle avec son sourire de satisfaction. Un frisson parcourt l'échine du gros homme.

Au même moment, deux sapeurs ruisselants et pantelants, peut-être les mêmes que plus tôt, sortent par la porte de devant. Dans leurs bras de caoutchouc, ils portent deux petites masses informes.

XVIII

Dominique fait son entrée au palais de justice devant les flashes des lampes éclair de quelques photographes.

Elle va le front haut, sûre d'elle ; personne n'aurait reconnu la jeune femme à l'allure si misérable qu'on accusait jadis d'avoir allumé l'incendie de la maison St-Marc.

Évelyne la suit à quelques mètres de distance. À l'air dégagé de celle qu'elle appelle encore sa protégée, elle comprend que son amie n'a plus vraiment besoin d'elle, de sa protection maternelle ; elle s'assume maintenant. En ce sens, Évelyne a gagné son pari. Dommage, se dit-elle, que ce soient des circonstances aussi troublantes qui l'aient amenée à maturité. Mais peut-on parler de maturité à l'égard d'un meurtrier ?

Un peu plus loin, elle croise Claude Marotte et l'abbé Bolduc. Elle passe près d'eux en les gratifiant d'un bonjour chaleureux. Le psychiatre regarde Évelyne, en retrait, d'une manière qui a l'air de signifier : comprenez-vous quelque chose à son attitude ?... Et pourtant, c'est lui qui aurait dû comprendre...

s'il s'était ouvert les yeux plus tôt au lieu de la passer à travers le tamis de ses analyses.

Plus tard, après d'interminables discussions entre les avocats et le juge, on entame le procès. Le magistrat demande à Dominique comment elle désire plaider.

— Coupable, votre Honneur.

Il n'y a aucune hésitation dans sa voix.

Toute la journée, des enquêteurs, des policiers, le chimiste Tannhäuser, se succèdent à la barre pour y être interrogés par la Couronne. Son représentant y va de questions courtes et simples, constituant une gradation, une espèce de pyramide au sommet de laquelle surgit comme une évidence la culpabilité de Dominique.

Pendant un des témoignages, Marotte glisse à l'avocat :

— Cela augure mal, n'est-ce pas ?

— Ce sera très dur ; mais elle est coupable, Claude... Dès lors, on ne peut s'attendre à ce que sa défense soit bien aisée.

Morand a jusque-là refusé de contre-interroger les témoins cités par le procureur. Il préfère tous les entendre préalablement afin d'obtenir une meilleure vue d'ensemble du problème. Ensuite, il mettra la stratégie la plus adéquate en œuvre. Il s'attaquera au maillon le plus faible de l'édifice érigé par l'accusation afin de le faire céder. Mais il convient lui-même que sa réussite est loin d'être assurée.

Pendant toutes ces heures, Dominique continue d'afficher le même calme troublant. Elle écoute les divers témoins avec une attention soutenue. On aurait dit un enfant se régalant d'entendre son père, tout fier, raconter ses derniers exploits ou vanter ses mérites scolaires. Le récit de ces individus constitue un film dont elle est l'héroïne. Et le fait que ce terme puisse en l'occurrence revêtir un aspect péjoratif ne change rien à l'affaire.

Dominique a la conviction profonde que son crime est juste et pertinent ; l'on ne pouvait laisser Christian impuni. Elle n'a pas eu le choix d'agir ; elle était la seule à pouvoir le châtier puisque personne d'autre ne connaissait son rôle dans la mort de Rachel... À part son père, elle en est maintenant sûre, mais celui-ci se tairait à jamais... Et sa mère, mais celle-ci n'était plus là... Dire qu'elle devait à celle-ci d'avoir pu réparer l'injustice subie par sa jeune sœur. Son injustice à elle se résumait à vingt ans d'internement et de marginalité. Bien sûr ces années ne pourraient être rattrapées ; c'est pourquoi, elle ne tirait de ces meurtres vengeurs qu'un doux soulagement que les remords n'atteignaient pas.

Les gens qui l'entourent maintenant la traitent soit avec mépris soit avec commisération ; ces attitudes lui déplaisent toutes deux : elle n'est ni une dangereuse criminelle ni une fillette sans défense ; elle l'a pourtant démontré clairement. Une chose est certaine ; elle n'aura plus jamais la possibilité de montrer à qui que ce soit à quel point elle est maintenant sûre d'elle. À quel point elle est guérie... Mais cela n'a plus d'importance. Tout est dit, tout est fait. La boucle est bouclée ; elle a pris ses responsabilités et ne le regrette pas. Maintenant elle est prête à assumer les conséquences de son geste de bon gré ; ne vient-elle pas de punir son frère pour le meurtre qu'il a commis ?... Elle restera logique jusqu'au bout.

Le juge Duclos lance un regard à la grosse horloge lui faisant face, au-dessus de la porte de la salle d'audience. Quinze heures trente. La Couronne en a terminé.

— Nous ajournons à demain matin, dix heures.

Son maillet décrit un cercle dans l'espace avant de s'abattre avec force sur une petite plaquette de bois.

— Tu viens prendre un verre à mon étude, Claude ? Et vous, mon père ?

— Oui, nous te suivons.

Les trois hommes saluent Dominique. Marotte prononce d'inutiles paroles d'encouragement. Ils la regardent s'éloigner, encadrée de policiers, par une porte latérale, puis s'éclipsent à leur tour.

*

*   *

— Aujourd'hui, on n'a abordé que les données techniques, mais demain la vraie partie va commencer. Si vous voulez mon avis, on est dans de beaux draps, et c'est là un euphémisme, vous pouvez me croire.

L'avocat se tait. Depuis plusieurs minutes, face à Marotte et Bolduc qui paraissent sceptiques, il a élaboré la stratégie de défense qu'il compte mettre de l'avant dès le lendemain.

Le psychiatre, assis devant Morand dans un fauteuil creux et confortable, a écouté attentivement, se proposant bien de manifester une vive opposition à ses propos. La façon qu'a celui-ci d'envisager la suite du procès lui semble si illogique ! Ses intentions sont incompatibles, croit-il, avec le bien-être de sa patiente.

Maintenant l'avocat, derrière son bureau d'acajou sombre, grand comme une table de billard et encombré de bouquins, attend, immobile, l'assentiment de son ami.

Marotte rassemble ses idées et cherche les mots précis. Il doit tenir un discours d'une cohérence inattaquable.

— Écoute bien — il fait une pause, se concentre — moi aussi j'ai longuement réfléchi au procès, aux jours difficiles que vivra Dominique et je vais te livrer le fruit de mes réflexions.

Il avale une petite gorgée gourmande du pineau qu'on lui a servi.

— Oh ! je sais que tu ne seras pas d'accord avec elles mais je te prie quand même de ne pas m'interrompre. Tu comprendras mieux mon raisonnement lorsque j'aurai terminé.

Morand acquiesce d'un hochement de tête.

— Bien. Vois-tu, Dominique est guérie ! Tu vas dire que c'est un air connu, que je reprends encore la même rengaine, mais attends...

Il inspire profondément avant de prononcer des paroles troublantes.

— Cette fois, ce n'est pas une dangereuse pyromane qui a allumé l'incendie mais une femme normale souffrant d'un besoin infini de vengeance. À mon avis de psychiatre, je peux affirmer bien objectivement que son geste ne possède aucun lien commun avec les caractéristiques de ceux des vrais malades. Au contraire... Dominique était parfaitement consciente de la portée de ses actes. Son but, si je puis dire, n'était pas d'allumer un feu mais plutôt de tuer. Elle a commis une sorte de crime passionnel, si tu veux...

De l'autre côté du bureau, Morand grimace. Marotte le regarde droit dans les yeux, déglutit et continue, du bout des lèvres.

— ... Donc, en considérant ces données, il devient tout à fait impensable de plaider l'aliénation mentale comme tu voudrais le faire. Il faut ne soumettre au juge que les faits tels que Dominique me les a racontés !

— Mais tu es fou, Claude. Tu viens de l'affirmer toi-même ; elle est coupable. Elle l'a indiqué clairement aux policiers lors de son arrestation ; elle a plaidé coupable ce matin même à l'audience. Nous perdrons si je tente de la défendre autrement ; elle courra à sa perte ; je ne pourrai rien pour la sauver.

Morand reprend son souffle bruyamment. Il détourne la tête et fixe idiotement le mur lui faisant face.

— Justement, intervient le prêtre, nous en sommes venus à nous interroger sur ce qui la sauverait vraiment.

Ses poings se ferment. Il sourit doucement. Ses yeux vifs et intelligents brillent.

— C'est très ambigu, vous savez. Que souhaiter pour Dominique ? Tout est là ! Ce n'est plus une question de droit ; il s'agit ici de morale. Et cette morale ne correspond pas pour nous à la même réalité.

— Si... comment vous expliquer... si Dominique est internée à nouveau, ce sera pour elle, pour nous, pour toute la société un échec tragique.

Morand grimace à nouveau et incline la tête.

— Vous exagérez mon père.

— Non, non. Pas du tout.

— Qu'aura gagné notre cliente ? poursuit Marotte. Rien du tout. Elle retombera dans le doute. Sais-tu à quel point est douloureux le doute ? Comprends-la ! Pour la première fois de sa vie, elle voit clair en elle. Et il faudrait l'en punir ? Voyons, c'est ridicule. Son geste signifie qu'elle s'en est sortie.

Il scande les syllabes de cette phrase à maintes reprises pour les faire pénétrer dans l'esprit de son ami.

— On ne peut lui ôter la chance d'être jugée en adulte normale. Elle est guérie. Je le soutiendrai toujours.

Il fait une pause. Malgré tous ses efforts, il doute de convaincre l'avocat.

— J'aurais le sentiment de la trahir en l'empêchant de faire face à la justice.

Morand jette un coup d'œil à Bolduc.

— Vous êtes d'accord avec cela ?

— Oui, parfaitement, maître.

— Et vous croyez tous deux que ce serait une solution avantageuse pour elle de croupir en prison ? On voit que vous connaissez mal le milieu carcéral. Vous avez raison : nos visions de l'avenir de Dominique sont vraiment opposées. Pensez-y bien ! Si je plaide l'aliénation mentale, je suis à peu près sûr de la sortir de ce mauvais pas !

L'horloge grand-père carillonne cinq fois, leur accordant une trêve.

— Mais comprends donc, fait le médecin. C'est vital pour Dominique, je ne le répéterai pas assez souvent, de rendre compte de ses gestes, debout, en vraie femme, non pas comme une malade. Qu'elle se sorte du pétrin par la porte arrière serait la pire chose qui puisse lui arriver... Je sais ce qui se passe dans sa petite tête. Au fond, consciemment ou non, c'est ce qu'elle désire. La reconnaissance de son aptitude à subir un procès serait pour elle la preuve ultime, tu entends ? ultime, qu'elle espère depuis si longtemps de sa normalité. Ni toi ni moi n'avons le droit de lui retirer cette chance. Ce serait un désastre pour elle.

Et pour jouer sur les sentiments de son ami, il ajoute :

— Et pour moi... même si elle doit être condamnée.

Marotte sourit faiblement malgré ses graves propos.

— Tu te rappelles ce que tu disais à ce jeune procureur de la Couronne l'automne dernier, au sujet des gagnants et des perdants ? Eh bien ! maintenant plus que jamais la justice pourrait être le grand vainqueur et Dominique aussi, par voie de conséquence.

Bolduc lève les bras en signe d'impuissance.

— Mais c'est vous qui avez les atouts en main, si je puis dire. Vous pouvez respecter votre cliente en plaidant comme vous le feriez pour tout autre prévenu, mais pour cela, il vous faut faire abstraction de votre volonté de gagner.

— Tu vois, poursuit le psychiatre, maintenant c'est toi qui es confronté à un problème de conscience... De grâce, n'affuble pas Dominique d'un tort qu'elle n'a plus...

L'avocat reste silencieux de longues secondes, secouant la tête de dépit. Le timbre de l'interphone placé sur son bureau grésille et le fait sursauter. Il pousse le voyant vert permettant l'émission.

— Je ne suis là pour personne.

Une voix féminine répond précipitamment.

— Bien, monsieur.

Le silence reprend possession de la pièce mais ne dure guère.

— Et avez-vous pensé à moi dans toute cette histoire? Savez-vous seulement que je m'expose à un blâme sévère de la part de Duclos, puis du Barreau, si celui-ci pense que je n'ai pas mis dans la défense de Dominique toute l'ardeur, toute la passion qui lui sont dues? Et croyez-moi, si je fais ce que vous me demandez, si je ne donne pas le meilleur de moi-même; oui, c'est de cela qu'il s'agit, cela sera fort évident pour le juge.

Son ton se radoucit.

— Je comprends votre point de vue, soyez-en assurés, mais merde, vous voulez que je la laisse être condamnée... Comprenez qu'il m'est difficile d'accéder à quelque chose d'aussi odieux... Vraiment, je suis désolé.

L'avocat se lève, signifiant que l'entretien est terminé. Il hésite en plissant les lèvres.

— J'espère que notre amitié ne sera pas entachée par cette mésentente; j'en serais fort peiné.

*

*   *

Morand, Marotte et l'abbé Bolduc s'assoient côte à côte comme la veille. L'animosité qui les a divisés n'est plus perceptible. Près d'eux, Dominique conserve toujours sa mystérieuse dignité. Elle a l'air au-dessus de tout ce qui se passe dans cette salle, insouciante malgré que des inconnus soient à programmer son avenir. La satisfaction, le sentiment du devoir accompli, l'ont changée profondément.

— Alors, demande le psychiatre à son voisin, as-tu réfléchi à notre discussion ?

— Oui.

Il esquisse un sourire contrit.

— Je vais jouer franc jeu. Je vais tenter d'argumenter comme je le ferais pour un autre client mais en faisant appel d'une certaine façon à la mansuétude de Duclos, à son cœur, s'il en a un... Disons que je vais opter pour une défense, comment dire... alternative.

— Je savais que je pouvais compter sur toi.

— Oh ! s'il te plaît, pas de basse flatterie. Je suis assez peu fier de moi !

Un mouvement de vague anime l'assemblée. Tous se tiennent dans un garde-à-vous solennel tandis que le juge, les épaules légèrement voûtées, clopine vers son fauteuil, juché sur une petite tribune.

Sur un geste discret du magistrat, l'assistance se rassoit doucement. Il entame aussitôt les procédures.

— Maître Morand, avez-vous des témoins à faire comparaître devant le Tribunal ?

— Oui, Votre Honneur.

L'avocat se lève.

— Ce sera le docteur Marotte... Je tiens à aviser la Cour que les propos de ce dernier constitueront l'essence de mon plaidoyer. Je ne me propose que d'ajouter quelques brefs commentaires.

Il élève la voix sur cette dernière phrase pour être compris de tous les occupants de la salle...

Le psychiatre se rend dans le box des témoins et donne son nom et sa profession. Morand s'approche de lui, se concentre... Il y a de ces mots dont le poids et la portée font pencher les balances...

Docteur Marotte, commence l'avocat, je vais vous demander de me raconter l'histoire de la vie de mademoiselle Boily mais auparavant, j'aimerais savoir depuis quand vous en connaissez la version finale dans tous ses détails ?

— Elle me l'a racontée la veille de l'ouverture du procès.

— Pourquoi si tard, dites-moi ?

— Parce qu'elle-même ne la connaît que depuis peu, en fait, depuis le décès de sa mère.

— Fort bien. Maintenant, pour le bénéfice de la Cour, je vous prie de rattacher cette nouvelle connaissance à l'histoire de ma cliente.

Claude Marotte parle près d'une heure sans interruption devant une foule retenant son souffle. Il relate les événements que Dominique lui a confiés en y ajoutant des éléments de théorie lorsqu'il le croit opportun. Il n'omet aucun détail : l'écart entre les premières visions de la jeune femme et la réalité est expliqué avec un souci particulier de précision ; son innocence à l'accusation d'avoir incendié la maison St-Marc est déclarée d'un très grand intérêt ; enfin, la découverte de la culpabilité de Christian, lors des obsèques, vient couronner le témoignage sur une note presque rocambolesque.

/

Morand remercie le médecin. Des chuchotements naissent de place en place parmi l'assistance ébranlée. Duclos actionne son maillet et clame :

— À l'ordre... À l'ordre...

— Votre Honneur, j'aurais quelques mots à ajouter, continue l'avocat.

— Allez-y, maître.

— Voilà, je veux seulement spécifier que nous n'avons jamais voulu faire croire à la Cour que ma cliente n'a pas allumé l'incendie de la demeure de son frère. Cependant, comme vous avez pu le constater dans le témoignage du docteur Marotte, il va sans dire qu'elle avait de bonnes raisons, si je puis m'exprimer ainsi, pour commettre ce crime. Son frère lui a fait gaspiller sa vie ; sa vengeance devenait donc un besoin presque organique. À mon avis, elle n'est pas véritablement coupable ; il n'y avait rien de prémédité dans son geste ! Elle a agi trop impulsivement pour qu'il le soit. En l'occurrence, je vous demande de la juger équitablement, en tenant davantage compte de ses motivations que de ses gestes eux-mêmes. Mademoiselle Boily a subi le pire affront qui puisse exister et croyez-moi, il se tourne vers l'auditoire, son châtiment, elle le vit depuis plus de vingt ans.

Un nouveau murmure, semblable à un roulement de tambour, monte en crescendo dans la salle. Cette fois un regard du magistrat suffit à le faire taire.

— Maître Morand, sachez que la Cour juge toujours les accusés avec discernement en soupesant les faits et leurs antécédents. Elle désire en même temps vous souligner qu'elle considère votre remarque fort impertinente.

Il regarde quelques instants l'avocat, l'air menaçant et reprend :

— Nous passons donc à l'exposé de la Couronne. Immédiatement après, l'audience sera suspendue jusqu'à lundi après-midi, quatorze heures. Je vous livrerai alors mon verdict.

*

*   *

Claude Marotte se présente fourbu à l'audition du jugement. Jamais fin de semaine ne lui avait paru plus longue. L'anxiété de l'attente lui avait fait perdre le sommeil ; toute réflexion lui était difficile. Il était irritable, distrait... Mais enfin, le jour de la conclusion se levait.

Dans son dos, il sent les regards d'Amanda et d'Évelyne rivés à sa nuque. Elles avaient tenu à l'accompagner. Dominique, près de lui, semble absente, comme si son sort ne l'intéressait pas.

Morand, lui, paraît calme. Ses traits sont à peine un peu plus tendus qu'à l'habitude. Pour lui, la situation n'a rien de neuf.

Selon le rituel, on se lève à l'entrée du juge et attend son accord pour reprendre siège. Toute la salle chuchote de nervosité. Un oiseau passant près de la fenêtre jette un ombrage fugace. Est-ce un mauvais augure ?

— J'ai ici, commence Duclos, il montre une liasse de feuilles, le texte du verdict que je vais rendre dans l'affaire de la Couronne contre mademoiselle Dominique Boily, et je vous en livre le résumé sans plus de préambule.

Il remonte ses lunettes sur son nez aquilin.

— Je dois premièrement souligner l'étrangeté de l'argumentation mise de l'avant par maître Morand. Je ne suis pas sûr des fins visées par celle-ci, mais de toute manière, il ne s'agissait pas là d'une stratégie de défense très judicieuse.

L'avocat grimace sous la rebuffade du magistrat et regarde Marotte du coin de l'œil.

— De plus, la trouvaille de la culpabilité de Christian Boily du meurtre de sa sœur, Rachel, est assez spéciale. Je ne vous en félicite pas.

Il attribue à Morand les paroles du médecin, croyant bien que celui-ci les lui a inspirées.

— Une affirmation aussi gratuite sans que l'on puisse lui apporter l'ombre d'une preuve relève d'une pratique avocassière. En ce qui concerne l'accusation, maintenant...

Il soupire en rapprochant un feuillet de ses yeux. Plus personne ne respire. Les secondes sont interminables.

— Le Tribunal, en bonne intelligence...

Les poitrines sont oppressées. Marotte met sa main sur le bras de Dominique.

— ... déclare l'accusée non coupable du crime de quadruple homicide.

La réaction de l'assistance est partagée. Certains clament leur joie, d'autres maugréent. Marotte, Morand et Dominique, eux, restent interdits. Jamais ils ne se sont attendus à une telle sentence.

Le juge Duclos se hâte de demander le rappel à l'ordre. Sa voix tonne.

— Je n'ai pas terminé. Silence, ou je fais évacuer.

Le calme revient rapidement.

— Cependant, reprend le magistrat, il ne fait aucun doute dans l'esprit de la Cour que la capacité de commettre un fratricide et un triple homicide est subordonnée à un type quelconque de psychopathie axée sur la destruction. En conséquence, étant donné que l'accusée a avoué avoir allumé l'incendie et que ses antécédents laissent supposer qu'elle est dangereuse pour la société, la Cour ordonne qu'elle soit internée à vie dans un centre psychiatrique à haut niveau de sécurité. Mademoiselle Boily est non coupable pour cause d'aliénation mentale.

La fin du monde n'aurait pas produit pire effet. Tout s'écroule autour de Marotte. Même Dominique, cette fois, paraît secouée. Les yeux clos, le médecin sent sa tête vaciller comme s'il allait s'évanouir. Le choc s'avère terrible ; il est tout aussi imprévu que l'acquittement bidon entendu quelques minutes plus tôt.

— La Cour doit aussi émettre un blâme sévère à l'endroit du docteur Claude Marotte pour avoir malencontreusement cru mademoiselle Boily apte à vivre en société. Même si son diagnostic pouvait paraître fondé, les conséquences ont démontré qu'il a commis une grave erreur. Sans sa méprise, les événements de la rue de Troie n'auraient jamais eu lieu.

Puis, il ajoute sur un ton radouci :

— Vous aurez bientôt le texte complet du jugement.

Le coup de maillet tombe comme une guillotine.

*

*   *

Dominique reste assise en compagnie de Claude Marotte, l'abbé Bolduc et Évelyne, dans la salle d'audience. Ils ne parlent pas. Qu'auraient-ils pu dire ? Tous les autres occupants, sauf deux policiers, ont quitté depuis quelques minutes ce lieu apparaissant maintenant si sinistre à la jeune femme. Son regard se tourne vers une fenêtre basse où elle peut contempler le monde qui va continuer à s'activer sans son infime apport... Tous, Évelyne, son père, Marotte, continueront à l'influencer mais pas elle. Elle masse délicatement des doigts ses traits las ; la bataille est terminée ; la guerre aussi ; elle l'a perdue et son navire sombre ; elle doit l'abandonner ; sa seule consolation est de ne pas y périr noyée.

Pourquoi la vie peut-elle engendrer les mêmes injustices ? Pourquoi les mêmes gens restent-ils enclins toute leur existence aux mêmes revers ? Pour quelles obscures raisons le sort s'entête-t-il sans relâche sur le dos de pauvres innocents comme Dominique, les empêchant de grandir, de tirer leçon du passé ?

Dominique songe subitement qu'elle recommence sa vie, qu'elle a à nouveau huit ans, que ses années de misère et de solitude redébutent. Ça doit être ça la fatalité, le vide sous le fil.

Chez le même éditeur

Balcer, Léon, *Léon Balcer raconte*, 1988, 152 p., ill. (14,95 $)

Cleary, Bernard, *L'Enfant de 7 000 ans. Le long portage vers la délivrance*, 1989, 288 p., ill. (22,95 $)

Deschênes, Gaston, *L'Année des Anglais. La Côte-du-Sud à l'heure de la Conquête*, 1988, XII–180 p., ill. (19,95 $)

Jean Haffner, Luce, *Les Quatre frères Jean*, 1989, 268 p., ill. (22,95 $)

Ouimet, Raymond, *Pierre Miville. Un ancêtre exceptionnel*, 1988, 132 p., ill. (14,95 $)

Prince, Jean, *Familles trifluviennes*, 1989, 176 p. (20,00 $)

Rousseau, Guildo et Jean-Paul Lamy, *Ringuet en mémoire. 50 ans après Trente arpents*, 1989, 156 p. (14,95 $)

Simard, Louise et Jean-Pierre Wilhelmy, *De Père en Fille*, 1989, 432 p. (22,95 $)

Vachon, André, *Ramas I : Histoire du Canada*, 1988, XVII–186 p. (14,95 $)

Aux Éditions du Pélican

De Courval, Michel, *101 Recettes de la cuisine de la chasse*, 1988, XIV–152 p., (7 planches de couleur) (19,95 $)

À paraître, aux Éditions du Septentrion

Rousseau, François, *La Croix et le Scalpel.*

Histoire des Augustines et de l'Hôtel-Dieu de Québec, Tome I : 1639-1892.

Les Éditions du Septentrion
1300, avenue Maguire, SILLERY (Québec) G1T 2R8